1831

rowohlts monographien

HERAUSGEGEBEN
VON
KURT KUSENBERG

—

WILHELM RAABE

IN
SELBSTZEUGNISSEN
UND
BILDDOKUMENTEN

—

DARGESTELLT
VON
HANS OPPERMANN

ROWOHLT

Dieser Band wurde eigens für «rowohlts monographien» geschrieben
Den Anhang besorgte der Autor
Herausgeber: Kurt Kusenberg · Redaktion: Beate Möhring
Umschlagentwurf: Werner Rebhuhn
Vorderseite: Raabe. Horaz lesend, 1901 (Foto: Heinrich Stegmann)
Rückseite: Die Spreegasse («Sperlingsgasse») in Berlin. Fotografie
Frau Annagret Ehninger-Raabe, Wolfenbüttel

Veröffentlicht im Rowohlt Taschenbuch Verlag GmbH,
Reinbek bei Hamburg, Mai 1970
© Rowohlt Taschenbuch Verlag GmbH, Reinbek bei Hamburg, 1970
Gesetzt aus der Linotype-Aldus-Buchschrift und der Palatino (D. Stempel AG)
Gesamtherstellung Clausen & Bosse, Leck/Schleswig
Printed in Germany
ISBN 3 499 50165 1

INHALT

EINLEITUNG 7

HERKUNFT UND KINDHEIT 9

BUCHHÄNDLERLEHRLING IN MAGDEBURG 25

STUDIUM IN BERLIN 28

WIEDER IN WOLFENBÜTTEL 39

DAS TAGEBUCH 44

DIE «BILDUNGSREISE» 49

DIE WERKE DER WOLFENBÜTTELER ZEIT 54

STUTTGART 58

DIE WERKE DER STUTTGARTER ZEIT 68

BRAUNSCHWEIG 76

ERSTE BRAUNSCHWEIGER WERKE 93

NEUE SELBSTBESINNUNG 105

DIE SPÄTEREN BRAUNSCHWEIGER WERKE 112

SCHRIFTSTELLER A. D. 120

DAS ENDE 128

WIRKUNG 131

ANMERKUNGEN 135

ZEITTAFEL 140

ZEUGNISSE 142

BIBLIOGRAPHIE 146

NAMENREGISTER 157

QUELLENNACHWEIS DER ABBILDUNGEN 159

Weihnachten 1867

Wilhelm Raabe hat es immer abgelehnt, sich über sich und sein Leben zu äußern. Trat man an ihn heran, so verwies er auf das, was in den Lexika über ihn zu finden war, und auf das, was er geschrieben hatte. Es war sein Bestreben, alles Persönliche völlig hinter dem Werk zurücktreten zu lassen. Nur 1863, als seine Novelle *Holunderblüte* in «Über Land und Meer» erschien, stellte er für einen biographischen Aufsatz von Thaddäus Lau [1]* Material zur Verfügung, darunter eine Selbstcharakteristik, die Lau vollständig abdruckte. In ihr heißt es: *Es stecken eine Menge Gegensätze in mir, und seit frühester Jugend habe ich mich selbstquälerisch mit ihrer Analyse beschäftigt.*[2] Raabe war über den Abdruck eines so persönlichen Bekenntnisses empört. Das zeigt, wie sehr er alle Einblicke in seine private Sphäre ablehnte. Selbstzeugnisse sind also in erster Linie seine Werke. Inhaltlich aber deutet diese Äußerung auf eine große innere Spannweite – auf seelische Kontraste, die im Prozeß des Schaffens ihren Ausdruck fanden.

Nur noch einmal hat sich Raabe eingehender über sich selbst geäußert. Als er 1906 von dem Herausgeber des Kalenders «Der Heidjer» um eine Selbstbiographie gebeten wurde, lehnte er das ab und verwies wieder auf die gängigen Nachschlagewerke, fügte aber der Absage folgende Skizze seines Lebens hinzu [3]:

Ich bin am 8. September 1831 zu Eschershausen im Herzogtum Braunschweig geboren worden. Mein Vater war der damalige «Aktuar» am dortigen Amtsgericht, Gustav Karl Maximilian Raabe, und meine Mutter Auguste Johanne Friederike Jeep, die Tochter des weiland Stadtkämmerers Jeep zu Holzminden. Meine Mutter ist es gewesen, die mir das Lesen aus dem Robinson Crusoe unseres alten Landsmanns aus Deensen, Joachim Heinrich Campe beigebracht hat. Was ich nachher auf Volks- und Bürgerschulen, Gymnasien und auf der Universität an Wissenschaften zu erworben habe, heftet sich alles an den lieben feinen Finger, der mir ums Jahr 1836 herum den Punkt über dem i wies.

Im Jahre 1845 starb mein Vater als Justizamtmann zu Stadtoldendorf und zog seine Witwe mit ihren drei Kindern nach Wolfenbüttel, wo ich das Gymnasium bis 1849 besuchte. Wie mich darnach unseres Herrgotts Kanzlei, die brave Stadt Magdeburg, davor bewahrte, ein mittelmäßiger Jurist, Schulmeister, Arzt oder gar Pastor zu werden, halte ich für eine Fügung, für welche ich nicht dankbar genug sein kann.

Ostern 1854 ging ich nach einem Jahr ernstlicher Vorbereitung nach Berlin, um mir auch «auf Universitäten» noch etwas mehr Ordnung in der Welt Dinge und Angelegenheiten, soweit sie ein so junger Mensch übersehen kann, zu bringen. Im November desselben Jahres begann ich dort in der Spreegasse die Chronik der Sperlings-

---

* Die hochgestellten Ziffern verweisen auf die Anmerkungen S. 135 f.

gasse zu schreiben und vollendete sie im folgenden Frühling. Ende September 1856 erblickte das Buch durch den Druck das Tageslicht und hilft mir heute noch neben dem Hungerpastor im Erdenhaushalt am meisten mit zum Leben. Denn nur für die Schriften meiner ersten Schaffensperiode, die bis zum letzterwähnten Buche reicht, habe ich L e s e r gefunden, für den Rest nur L i e b h a b e r, aber mit denen, wie ich meine, freilich das allervornehmste Publikum, was das deutsche Volk gegenwärtig aufzuweisen hat.

Anno 1862 sah auch ich ein, daß es nicht gut sei, wenn der Mensch allein bleibe, heiratete Fräulein Bertha Emilie Wilhelmine Leiste und zog mit ihr nach Stuttgart, wo uns zwei Mädchen geboren wurden und ich Die Leute aus dem Walde, Den Hungerpastor, Abu Telfan und Der Schüdderump schrieb. Mit Freude, aber auch mit Wehmut gedenken zwei Greise heute noch an jene junge, gute sonnige Zeit unter den Reben und den Freunden und Freundinnen des Neckartals! Achtzehnhundertsiebzig ging sie zu Ende, nicht durch den Krieg, sondern nach dem Wort im Buch Hiob: Vorüber geht es, ehe man es gewahr wird, und es verwandelt sich, ehe man es merkt.

Seit dem 21. Juli 1870 wohne ich nun in Braunschweig, wo mir noch zwei Töchter geboren wurden, deren jüngste, ein liebes schönes Mädchen, sechzehnjährig, ihren Eltern am Johannismorgen 1892 durch den Tod genommen – durch Aurora entführt wurde.

Was ich hier am Orte im Laufe eines Menschenalters weiter zusammengeschrieben habe, überlasse ich auf dem Altersteil Altershausen als Schriftsteller a. D. der Begutachtung der Nachwelt. Möge sie nach Möglichkeit Nutzen daraus ziehen!

Drei Dinge sind mir persönlich aus meinem Aufenthalt auf der Erde heute, wenn auch nicht die bemerkenswertesten, so doch merkwürdig.

Ich komme noch aus den Tagen, wo in meines Vaters Haus an der Weser mit Stein, Stahl und dem «Plünnenkasten» Licht angezündet und Feuer gemacht wurde.

Ich habe einen Herrn gekannt, der noch seinen Zopf trug.

Ich habe noch einen Mann gesehen, der im siebenjährigen Kriege mit dabeigewesen war.

HERKUNFT UND KINDHEIT

Raabes Geburtsort Eschershausen liegt im Kreise Holzminden des damaligen Herzogtums Braunschweig, nordwestlich von Holzminden zwischen Weser und Leine am Fuße der Höhenzüge des Weserberglandes Vogler, Ith und Hils. Die Gegend von Eschershausen ist Schauplatz von Raabes Erzählung Das Odfeld. Eschershausen war damals die kleinste Landstadt des Herzogtums – 127 Feuerstellen –, das, aus drei Gebietsteilen bestehend, sich zwischen Weser, Harz und Lüneburger Heide erstreckte.

Väterlicherseits führt der Stammbaum Raabes auf Harzer Bergleute in der Gegend von Clausthal zurück. Die Familie war aber schon seit mehreren Generationen im nördlichen Vorland des Harz ansässig und hatte sich geistigen Berufen zugewandt. Eine ausdrucksvolle Persönlichkeit war Raabes Großvater August Raabe.[4] Sohn eines Lehrers und Kantors, studierte er Theologie und bewarb sich nach Abschluß des Studiums um eine Pfarrstelle. *Die Verhandlung zwischen dem Herzog Karl Wilhelm Ferdinand und meinem Großvater ist vollkommen historisch. «Mein lieber Raabe, man kann den Vaterlande eben so gut in einem blauen als in einem schwarzen Rokke dienen», haben Durchlaucht gemeint, und der Candidat der Gottesgelahrtheit hat den schwarzen Rock an den Nagel gehängt und den blauen, mit gelbem Kragen, angezogen. – Ich erinnere mich seiner in der ... Braunschw. Postuniform noch sehr gut und habe manchen Tag in seiner Poststube zugebracht. Auf seinem 50jährigen Amtsjubiläum habe ich mir aus seinem Ehrenpokal ... den ersten kleinen Rausch gezeugt. Das war Anno 1838.*[5] Seit 1788 war August Raabe in Holzminden tätig und lebte neben seinem Beruf privaten Interessen, die vor allem der Geschichte galten. Er war *ein unermüdlicher Aufklärer des 18ten Jahrhunderts*[6], wie eine ganze Reihe von Schriften und Aufsätzen zeigen.[7] Sie erschienen meist im «Holzmindener Wochenblatt», das ein interessantes Spiegelbild des respektablen geistigen Lebens in einer Kleinstadt der damaligen Zeit bietet. Diese Aufsätze und handschriftlich hinterlassene «Collectanea» wurden für Raabe wichtige Quellen. Er entnahm ihnen lokalgeschichtliche Kenntnisse und eine Fülle von Zitaten und Gedanken, durch die er, vor allem in *Die Gänse von Bützow*, das geistige Gesicht der Aufklärung verlebendigt.

August Raabes Sohn Gustav (1800–45), Wilhelms Vater, studierte die Rechte, trat in den braunschweigischen Staatsdienst und war seit 1827 als Aktuar am Kreisamt Eschershausen tätig. Er war ein vielseitig interessierter, belesener Mann, dessen stattliche Bibliothek[8] auch nach seinem Tode dem Sohn viele Anregungen gab. Hauptsächlich interessierte er sich für Geschichte, Erdkunde und Völkerkunde. Seinen Wunsch, die Heimat und das weitere Vaterland kennenzulernen, befriedigte er auf vielen Reisen, zum Teil Fußwanderungen, die sich auch in der Ehe fortsetzten, jetzt gemeinsam mit seiner Frau. Diese, Auguste Raabe geb. Jeep, ist wohl der Mensch, der für Raabe die größte Bedeutung gehabt hat, wie er es in der Selbstbiographie zum Ausdruck bringt. *Gestern morgen ist meine Mutter nach einem langen, schweren Krankenlager sanft eingeschlafen ... Im vollsten Sinne des Wortes kann ich sagen: «Verklungen, ach! der erste Wiederklang!»*[9] schreibt er an einen Freund unter dem frischen Eindruck des Verlustes, der – charakteristisch für Raabe – in einem Zitat unmittelbaren Ausdruck findet, und noch als fast Siebzigjähriger meint er, sie habe ihm *das närrischte Teil ihres lieben Intellekts mit auf den Lebensweg* gegeben.[10]

Ausführlicher spricht ein Brief aus dem Jahre 1874, zwei Wochen nach dem Tod der Mutter: *Ich habe unendlich viel verloren, denn ich habe geistig ununterbrochen mit ihr gelebt, und was ich getan habe, habe ich für sie getan. Sie war ein Sonntagskind im vollen ganzen Sinne des Wortes, zart und feinfühlig und – vornehm, wie w i r das Wort verstehen. Es war merkwürdig und für mich ein freudiges Wunder, wie alltäglich in Gesellschaften alle übrigen Frauenzimmer*

Das Geburtshaus in Eschershausen

gegen diese alte Frau erschienen; und sie ist jung geblieben bis zum Ende ihrem Alter zum Trotz. – Im Herbste 1866 war sie in Stuttgart bei uns, und da denke ich immer an ein Wort der Frau Alwine Müller: «Raabe, was haben Sie für eine schöne Mutter! wie kommen Sie dazu, eine so schöne Mutter zu haben?» – So war es.[11]

In verschiedenen mütterlichen Frauengestalten Raabes lebt das Bild seiner Mutter fort, am unmittelbarsten vielleicht im Bild der Mutter des Geheimrats Feyerabend in *Altershausen: Da warst du, Mütter-*

11

Der Vater: Gustav Raabe

chen! Und wie laut die große Stadt ihren Sonntagmorgen begehen mochte, in der Seele des Geheimrats Feyerabend wurde es still und die Pfeife ging ihm aus. Da warst du, schöne junge Frau aus der Welt vor sechzig Jahren, mit deinem guten Lachen, deinem klugen Lächeln, mit deiner Weltweisheit, die nicht aus dem Lehrplan «höherer Töchterschule» stammte, aber im Lebensverdruß und -behagen, bei Sonnenschein und Regen, an der Wiege und am Sarge, unter den Pfingstmaien und unter dem Christbaum sich so weich, so linde wie deine Hand über alles legte, was dich betraf, so weit dein kleines großes Reich auf dieser Erde reichte und Menschenglück und Elend, Wohlsein und Überdruß, Jubel und Jammer umfing.[12]

In Eschershausen verlebte der Säugling allerdings nur wenige Wo-

Die Mutter: Auguste Raabe, geb. Jeep. Foto: Th. Gerlach

chen. Schon Anfang 1832 siedelte die Familie nach Holzminden über. Dorthin wurde der Vater versetzt und 1833 zum Assessor befördert. Hier verlebte Raabe acht glückliche Kindheitsjahre, die sich ihm tief einprägten und die – ebenso wie die anschließenden Jahre in Stadtoldendorf – ihn im Weserland seine eigentliche Heimat sehen ließen. *Gestern fuhren wir dann die Weser hinab – von Karlshafen nach Holzminden – und ich kann wohl sagen, daß ich selten in meinem Leben so gerührt und erregt gewesen bin, als bei diesem allmählichen Auftauchen der alten Berge und Ortschaften. Grade diese Fahrt war lange ein Wunsch von mir, und nun freue ich mich unendlich, daß sie so ohne alle Störung von statten ging. Der Blick in die Berge nach der Homburg, dem Kohlenberg und Holzberg war*

Das Wohnhaus der Eltern in Holzminden

allein den Umweg wert.[13] In der Schilderung der Heimkehr von *Ewald Sixtus* und *Langreuter* in *Alte Nester* sind die Eindrücke dieser Fahrt dichterisch gestaltet.[14] Zeitweilig soll Raabe daran gedacht haben, sich in der Weserlandschaft anzusiedeln.[15] Sie bildet in vielen seiner Werke den örtlichen Hintergrund, von Teilen des ersten, der *Chronik der Sperlingsgasse, bis* zum letzten Fragment *Altershausen*. Holzminden mit Umgebung ist aus der Erinnerung beschrieben in *Der heilige Born*, es ist Modell für Finkenrode in *Die Kinder von Finkenrode* und für die Stadt in *Horacker*.

Raabes Eltern bewohnten im Goldenen Winkel ein Haus mit Hof, Garten, Stall und Scheune, wie es der Landstadt entsprach. Stärkeren

Eindruck scheint Raabe das Posthaus am Markt gemacht zu haben, in dem der Großvater Postrat noch bis 1841 lebte. In dessen *Poststube* verbrachte der Knabe *manchen Tag*.[16] Nach Raabes Angaben war das Haus voller Erinnerungsstücke – auch exotischer und geschichtlicher –, die die Phantasie des Knaben anregten. «Da gab es alte Bilder aus grauer, entlegener Vorzeit, wie man sie heute nicht leicht wiedersieht, eine geheimnisvolle Bücherkammer, vor welcher der Knabe einen gewaltigen Respekt hatte, uralte Schränke... angefüllt mit den heterogensten Schnurrpfeifereien, welche die jugendliche Phantasie... als kostbare Reliquien bewunderte. So hing an einer Wand ein riesiges, halbzerfallenes Palmenblatt, welches ein Onkel, der im nordamerikanischen Freiheitskriege mitgefochten, aus der Fremde als Erinnerungszeichen mitgebracht hatte; auch der Degen des tapfern Kapitäns war noch vorhanden. Stundenlang konnte Wilhelm vor dem rostigen Eisen stehen, versunken in unklare Träumereien.»[17]

Nach dem Besuch der Bürgerschule trat Raabe in das Holzmindener Gymnasium ein. *Wer heute auf der Weser zu Berg oder zu Tul fährt, der bemerkt bei der guten Stadt Holzminden ein stattlich Gebäude, an dessen Giebel die Worte stehen: DEO ET LITTERIS... ein berühmtes Gymnasium... Der Schreiber dieses hat da, so ums Jahr eintausendachthundertundvierzig unterm alten, wackern Schulrat Kokenius, auch einmal eine Schulbank abgerieben. Er läßt es sei-*

Das Posthaus in Holzminden. Anonyme Zeichnung

Holzminden: das Gymnasium. Zeitgenössisches Gemälde

ne erlauchten Vorfahren in der Gelehrsamkeit... nicht entgelten, wenn er wenig gelernt hat in Holzminden. Zur Tugend der Wahrhaftigkeit ist er jedenfalls dort angehalten worden.[18] Daß er kein bequemer Schüler war, bestätigt der Aufsatz von Lau. Aber wie stark die Eindrücke jener Zeit in Raabe hafteten, beweist eine Stelle in seinem letzten vollendeten Werk. «Schon in frühester Jugend füllte seine Seele der glühendste Haß gegen Karl den Großen, weil der Frankenkönig den Herzog Wittekind, für den der Knabe als für seinen Landsmann Partei nahm, zum Christentum gezwungen»[19], und noch der fast Siebzigjährige spricht von dem *aischen Karl* und seinem *christlich fromm Sachsenköpfen bei Verden*[20].

Raabe besuchte die Quarta (drittes Gymnasialschuljahr), als sein Vater 1842 an das Amtsgericht in Stadtoldendorf versetzt wurde, einer Landstadt, wenige Stunden von Holzminden, südlich von Eschershausen. Hier fehlte eine geeignete Schule. Es gab nur die Stadtschule. Der Quartaner kam sofort in die oberste Klasse, wo der Rektor selbst unterrichtete; er sollte Raabe auch Latein und Griechisch beibringen. Aber der Schüler «lernte blutwenig bei dem Rektor und noch weniger bei dem Organisten, der ihn mit Musik quälte. Nach dreijähriger vergeblicher Arbeit, wurde der Musikunterricht eingestellt.» Raabe hatte kein starkes Verhältnis zur Musik, mit Ausnahme der Oper. *Erst... in der Oper Fidelio ist mir klar geworden, was Musik ist*, schreibt er um 1860.[21] In den ersten Ehejahren besuchte er mit seiner musikalisch interessierten Frau auch Konzerte. Aber allmählich werden Oper- und Konzertbesuche fast ganz eingestellt, vor allem nach 1870 in Braunschweig. Daß Raabe 1878 und 1879 «Das Rheingold» und «Die Walküre» sah, ist eine Ausnahme, die sich aus dem Interesse erklärt, das Wagners Persönlichkeit in Raabe weckte. *Ich habe auf meinem bescheidenen Felde meine Arbeit so schweratmend zu tun, wie Ihr seliger Meister Richard die seinige auf dem seinigen ... So hat mich Richard Wagner eigentlich nur als Mensch, Kämpfer und Charakter beschäftigt, aber in dieser Beziehung im herzerfreuenden Maaße.* Der Mann hat es auch erkannt, wie und was die Welt ist, und mit Frohlocken sah man wieder einmal Einem nach, der «von Berge zu Bergen» hinüberschritt, – «a difficult journey to a splendid tomb!»[22] Aber nicht nur der Musikunterricht, auch der beim Rektor der Stadtschule blieb ohne Ergebnisse. *Über viele Stunden in den Schulen habe ich mich nicht zu beklagen In die Rectorschule ist Heinrich noch nicht inne den er ist noch zu jung,* heißt es 1842 in einem Brief an die Großmutter, dessen Stil und Rechtschreibung die Schulverhältnisse in Stadtoldendorf illustrieren.[23] Nach Lau bestimmte ein wildes, ungebundenes Knabenleben zwischen Wald und Feld diese Jahre, bei dem Wilhelm nach Herzenslust prügelte und geprügelt wurde. Aber nach eigener Angabe war Raabe gar kein wilder, sondern ein ruhiger Knabe stiller Art.[24]

Der Vater bemühte sich, die geringen Bildungsmöglichkeiten, die die Schule bot, auf anderem Wege auszugleichen. So reiste er 1839 mit dem Sohn *von der Weser nach Wolfenbüttel ... um mir die im ... Jahre 1838 eröffnete Eisenbahn vorzustellen* [25]. Damals sah der Kna-

Wohnhaus der Eltern in Stadtoldendorf

be den Mann, *der im siebenjährigen Kriege mit dabei gewesen war,* den früheren Zietenhusaren J. H. Behrens, der 1844 in Wolfenbüttel starb und eine lokale Berühmtheit war. Im Grunde wissen wir über die Zeit in Stadtoldendorf sehr wenig. Man füllt die Lücke mit der Vorstellung, der Knabe habe sich bei Streifzügen in die Umgebung Natur und Geschichte der Landschaft erwandert. Das aber ist eine Rückprojektion jüngerer Verhältnisse aus der Zeit der Jugendbewegung. Als Raabe *Das Odfeld* schrieb, das in dieser Gegend spielt, schöpfte er nach mehr als vier Jahrzehnten nicht aus der Erinnerung, sondern aus schriftlichen Quellen und Landkarten[26], ein für ihn charakteristischer Zug: *Wozu gibt es denn Stadtpläne? ... Stets habe man fälschlich geglaubt, er müsse die Örtlichkeiten, die er so genau geschildert, auch selber gesehen haben ... Ein echter Dichter müsse auch, was er n i c h t gesehen, naturwahr darstellen können. Könne er's nicht, dann sei er eben ein bloßer Abschreiber.*[27] Dagegen spricht aus unmittelbarer Erinnerung *Der Junker von Denow* (1858), der Stadtoldendorf in der leicht gekünstelten, archaisierenden Sprache der historischen Novelle beschreibt: *In meiner Heime ist es gar schön ... Da sind die Berge und die Wiesen so grün, da schaut die alte Burg, sie heißen sie die Homburg, herab auf das Städtel. Da sind die hohen weißen Felsen, ganz weiß, weiß – da wohnen die klugen Zwerge in tiefen runden Löchern. Das ist wahr, ganz gewiß wahr! Es ist auch schaurig da, manchmal rührt sich der Boden, und der Wald sinkt ein in die Erde, tief, tief – und ein Wässerlein springt dann unten in dem Grund auf; das Wasser trinken die Leut nicht gern. Aber mitten in den Bergen, da ist ein kühler Bronn, der Wellborn geheißen, aus dem kommt das Wasser durch Röhren in die Stadt, und die Brunnen rauschen und plätschern immerzu.*[28] Für Raabe blieb Stadtoldendorf wie Holzminden die Jugendheimat. *Stadtoldendorf. Ich habe eine ordentliche Sehnsucht nach der «hohlen Burg»* (1867).[29] Und in seinem nachgelassenen fragmentarischen Werk *Altershausen* ist Stadtoldendorf das Vorbild für die verlorene Jugendheimat. Der Wellenborn kehrt hier als *Maienborn* wieder, *welcher den Altershausenern nicht nur das Trinkwasser lieferte, sondern aus dem der Storch auch ihnen und ihren Frauen ihre Kinder heraufholte*[30].

Anfang 1845 starb der Vater plötzlich. Für die Familie und für Wilhelm bedeutete das eine völlige Umstellung der Lebensverhältnisse. Aber er hat später rückblickend die Bedeutung dieses Ereignisses für seine Entwicklung erkannt und bejaht. *Der frühe Tod des Vaters war mein Schicksal. Hätte er länger gelebt und mich erzogen, so wäre ich vielleicht ein mittelmäßiger Jurist geworden.*[31]

Auf eine schmale Witwenpension angewiesen, siedelte die Mutter nach Wolfenbüttel über. Dabei sorgte sie für die Schulbildung der Kinder, vor allem ihres Ältesten, die in Stadtoldendorf so sehr im argen gelegen hatte. In Wolfenbüttel lebten ihre Brüder Justus und Christian Jeep. Beide waren am dortigen Gymnasium, der «Großen Schule» tätig, der eine als Rektor, der andere als Oberlehrer. Aber gerade hier gab es eine schwere Enttäuschung. Eine Prüfung zeigte, daß Stadtoldendorf den Knaben schulisch nicht gefördert hatte. Der Vierzehnjährige sah sich in die Quarta verwiesen, die Klasse also, die er schon in Holzminden besucht hatte. Diese Enttäuschung förderte nicht gerade seine Schullust. *Auf dem Gymnasium zu Wolfenbüttel lernte ich wenig mehr als Zeichnen und Deutsch schreiben.*[32] Vor allem versagte er in den wichtigsten Gymnasialfächern. Noch 1861 kann er sagen: *Für die antike Welt ist mein Verständnis und meine Teilnahme eine geringe* [33], eine Äußerung, die durch die spätere Entwicklung bis zu einem gewissen Grade korrigiert wird.[34] So besuchte er das Gymnasium bis Ostern 1849. Dann verließ der über siebzehnjährige Sekundaner nach der siebten Gymnasialschulklasse die Schule, um einen Beruf zu ergreifen. Im Abgangszeugnis heißt es: «Im deutschen Styl und im freien Handzeichnen hat er einen Grad der Vollkommenheit erlangt, wie es auf der Bildungsstufe, auf welcher er steht, nicht häufig ist.»[35]

Das ehemalige Gymnasium in Wolfenbüttel
(Die «Große oder Hohe Schule»)

Daß der Schüler gegenüber seinen viel jüngeren Klassengenossen oft zurückstehen mußte, war schon an sich bedrückend. Dieses Gefühl wurde noch gesteigert durch die Atmosphäre Wolfenbüttels. Das Leben der Stadt war getragen von einem festgefügten, seiner selbst sicheren Honoratiorentum, das alle Abweichungen vom normalen Wege als unliebsam ansah. Wolfenbüttel war bis 1754 die Residenz der braunschweigischen Herzöge gewesen. Deren Übersiedlung nach Braunschweig war ein schwerer Schlag für die Stadt, die aber das Selbstbewußtsein einer Residenzstadt bewahrte. War die Stadt doch im Gegensatz zu Braunschweig äußerlich und innerlich durch ihre Herzöge geprägt. Sie war damals noch durchzogen von vielen Grachten, die ihr ein an Holland gemahnendes Aussehen gaben. Die Herzöge hatten sie zum Teil durch Niederländer so anlegen lassen, um in der sumpfigen Okerniederung eine Stadt zu erbauen, die zugleich eine starke Festung war. Raabe wohnte in Wolfenbüttel an einer solchen Gracht. Und wie das äußere Bild der Stadt das Werk der Herzöge war, wurde auch der Charakter der Bewohner durch sie geprägt. Die höchste landeskirchliche Behörde, das Konsistorium, war beim Weggang der Herzöge ebenso hiergeblieben wie hohe Gerichte. Hier befand sich nach wie vor die berühmte Bibliothek, an der Leibniz und Lessing gewirkt hatten, die berühmte «Große Schule», das Lehrerseminar und die Gruft der Herzöge in der Hauptkirche. Das Gros der Bevölkerung bestand aus Handwerkern, der Gartenbau spielte eine große Rolle, aber es gab wenig Kaufleute. Tonangebend war die Beamtenschaft, sie pflegte die Tradition der alten Residenz mit geschichtsträchtiger Vergangenheit, war aber dem Fortschritt und geistigen Interessen zugetan. Ausdruck des wirtschaftlichen Fortschrittes war die Eisenbahn Braunschweig–Wolfenbüttel, eine der ersten Eisenbahnlinien und die erste Staatsbahn in Deutschland.

Diesem Wolfenbütteler Honoratiorentum gehörten die beiden Oheime Raabes an, und obwohl

Wolfenbüttel

sie – vor allem Christian Jeep – sich des Neffen sorglich annahmen, blieb er doch ein auffälliger und deshalb verdächtiger Sonderfall.

Von der geistigen Entwicklung dieser Jahre zeugen – dem Urteil des Abgangszeugnisses entsprechend – einige erhaltene Schulaufsätze aus den Jahren 1847 und 1848.[36] Dagegen stand Raabe im grammatisch betonten und daher oft trockenen Sprachunterricht seine Phantasie oft im Wege. Auf eigener Erfahrung beruht die Schilderung im *Hungerpastor: Moses Freudenstein sah nicht, während der Doktor Fackler die schwierigen Satzbildungen des Thucydides konstruierte, hinaus auf die blauschimmernde Fläche des Ionischen Meeres, sah nicht auf der Meereshöhe die weißen Segel von Korzyra auftauchen, sah nicht die hundertundfünfzig Schiffe der Korinther von Chimerium heranschweben. Wenn der Professor von den Thraniten, Zygiten und Thalamiten, den Arten der Ruderer, sprach, so vernahm Moses Freudenstein nicht ihr Jauchzen, wie die Flotten aufeinanderstießen. Er vernahm nicht den Befehlruf der Stolarchen, das Krachen der Schiffsschnäbel, das Triumphgeschrei des Siegers, das Wehgeheul der Sinkenden; er sah nicht die blaue Flut rotgefärbt, sah sie nicht bedeckt mit Trümmern und Leichen; und wenn der Professor plötzlich eine Frage an ihn richtete, so fuhr er nicht ratlos und beschämt auf wie der arme Hans Unwirrsch, der all das eben Geschilderte sah und hörte, der aber ganz und gar vergessen hatte,*

Die Schwalben und die Sperlinge.

Am äußersten Ende des Dorfes steht ein kleines Haus, gemüthlich unter hohen Linden versteckt.
Es ist Herbst und das Strohdach wird von den bunten Blättern, die der Wind von den Zweigen reißt,
ganz überschüttet. Unter dem Dache aber hat ein
Schwalbenpaar seine Wohnung befestigt, und un-
aufgebaut hängt sie da, als sei sie aus der Mauer hervorgewachsen.

Aber es wird hier jetzt so kalt, allgemach haben
sich die kleinen braunen Käfer und Schmetterlinge
zurückgezogen u es wird den armen Schwalben
schwer, ihre Nahrung zu finden. Schon sammeln
sich auf hohen Kirchthürmen u Schlössern die ge-
flügelten Schaaren, um dies jetzt so unwirthlich
werdend Land zu verlassen und nach wärme-
ren Ländern zu fliegen; nach Süden, wo die
Pyramiden auf den Sand ragen, wo der Süd-
en auf seinem schnellen Roße die Wüste
durchjagt und das Schneebelastene Kameel seine Treue durch die wehenden Sandstürme trägt,
nach Süden, wo die Wilden in den Wäldern
wohnen den Vogelfang halten und die Schwalben ihre Brüder an die blanken Menschen ver-
tauschen.

Auch unser Schwalbenpaar schließt sich den Ge-
nossen an: Jetzt erhebt sich die gefiederte Schaar
und davon schießen die kleinen Segler hoch in
die Lüfte. Laut über die andern Länder ...

Schulaufsatz von Wilhelm Raabe

daß es sich weniger um die Schlacht am Vorgebirge Leukimme ... als um die Ansicht des Professors Fackler über die Konstruktion mit dè handelte.[37]

Neben den Aufsätzen sind für den Gymnasiasten Raabe seine Zeichnungen kennzeichnend. Sein Talent auf diesem Gebiet hatte sich schon in Stadtoldendorf gezeigt. In Wolfenbüttel trat es so stark hervor, daß die Mutter ihm Privatunterricht geben ließ. Das von Raabe stammende Titelblatt vor seinem *Zeichnenbuch* gibt Einblick in die Vorstellungswelt des Sekundaners (1848).[38] Es zeigt die Muse der Zeichenkunst zwischen Landsknechten, eine Schlachtszene, die Heimkehr eines Bauern, einen Löwen bei den Pyramiden, schließlich einen stilisierten Baum zwischen einem alten Germanen und einem schleswig-holsteinischen Freiheitskämpfer. Eine andere Zeichnung bezieht sich unmittelbar auf die Ereignisse dieses Jahres 1848[39]; sie bezeugt Raabes Sympathie mit den Barrikadenkämpfern. Aber die Braunschweiger Lande hatten schon 1830 im Anschluß an die Juli-Revolution ihre Revolution gehabt und eine Verfassung erhalten

Das Titelblatt des Zeichnenbuches

1848. Zeichnung von Wilhelm Raabe

Infolgedessen erreichte die allgemeine Erregung durch Demonstrationen und Petitionen wohl weitere liberale Fortschritte und Förderung der nationalen Einheitsbestrebungen, aber es kam nicht zu Gewalttätigkeiten.

Das Echo dieser Ereignisse in Raabes Werk ist auch gering und durchaus nicht immer positiv. *Seit dem Jahre der Gnade Eintausendachthundertundachtundvierzig, wo wir so anmutig gegen die Mauer rannten,* heißt es schon in einem frühen Werk [40], und wirklich positiv klingt nur eine Stelle im nachgelassenen Fragment *Altershausen.* Da träumt Feyerabend *von dem Schwarzrotgold, den Fahnen, Glocken, dem Kanonen- und Kleingewehrfeuer, dem flüchtigen Niedersteigen des Reichs der Himmel auf die Erde* und empfindet das alles *mit den Gefühlen des Jungen, der die schwarzrotgoldene Kokarde an die Sekundanermütze steckte und zum erstenmal von seinen Lehrern mit «Sie» angeredet wurde, wie das deutsche Volk von seinen Fürsten oder sonstigen Regierungsinhabern* [41].

Ob es mit den Ereignissen von 1848 zusammenhängt, daß Raabe die Schule verließ und damit auf ein Studium verzichtete, wissen wir nicht. Auf alle Fälle hatte sich unter seinen Neigungen das Interesse für Bücher und Literatur so in den Vordergrund geschoben, daß man hier und nicht in der zeichnerischen Begabung die Grundlage für einen Beruf sah. Ostern 1849 ging Raabe als Buchhändlerlehrling nach Magdeburg. Ob er den Beschluß selbständig faßte, bleibt zweifelhaft angesichts seiner Worte *ich ... wurde 1849 nach Magdeburg geschickt* [42].

Diese Stadt zeigte damals ein ganz anderes Gesicht als das uns geläufige vor dem Ersten Weltkrieg und zwischen den Kriegen oder das von heute. 1631 war Magdeburg bis auf wenige Gebäude völlig zerstört. Der Wiederaufbau bewahrte die alten Straßenzüge und benutzte die alten Fundamente, die geblieben waren. Er erfolgte einheitlich im zeitgegebenen Barock. Das gab dem Bild der Stadt, die noch nicht über den mittelalterlichen Umfang hinausgewachsen war, auch zu Raabes Zeit den geschlossenen Charakter, das machte vor allem die Hauptstraße, den Breiten Weg, mit den noch fast vollständig erhaltenen vornehmen Barockhäusern nach Moltkes Urteil zu einer der schönsten Straßen Europas. Hier, an der Ecke des Weinfaßgäßchens, lag die Creutz'sche Buch- und Musikalien-Handlung, in die der Lehrling Raabe eintrat. Das Haus, das den alten Namen «Zum Goldenen Weinfaß» trug, blieb bis zum Zweiten Weltkrieg erhalten. Der junge Lehrling wurde in die Familie des Inhabers Kretschmann aufgenommen und kam hier in einen anregenden, musikalisch und literarisch interessierten Kreis. Über seine Tätigkeit als Buchhändler urteilt er selbst: *Der Versuch mißlang vollständig.* [43] Andererseits schreibt er diesen Jahren die Bedeutung zu, daß *Magdeburg ihn davor bewahrte, ein mittelmäßiger Jurist, Schulmeister, Arzt oder Pastor zu werden ... eine Fügung, für welche ich nicht dankbar genug sein kann* [44]. Trotz des beruflichen Scheiterns hat also die Magdeburger Zeit der künftigen Entwicklung Raabes die Richtung gegeben. Dem entspricht es, daß die ersten Anfänge der Schriftstellerei bis in diese Zeit zurückreichen. *Um die Ostern 1849 herum ... zog ... der Autor nächtlicherweile vom «Güldenen Weinfaß» aus ... und ... holte ... sich ... aus ihren* (Magdeburgs) *Gassen und von ihren Märkten, im Schatten und im Mondlicht, allerlei Gestalten und Bilder zusammen, die späterhin ... sich ihm zu dem vorliegenden Bilderbuche verdichteten.* [45] So schildert der Dichter die ersten Anfänge der historischen Erzählung *Unseres Herrgotts Kanzlei* (1861), die in Magdeburg spielt. Man wird das ziemlich wörtlich verstehen dürfen. Gerade aus der Magdeburger Zeit werden verschiedene Einzelzüge berichtet, die die Reizbarkeit der Phantasie Raabes und eine eidetische Veranlagung erkennen lassen. Somnambule Anlagen zeigten sich so stark, daß sein Chef in Besorgnis geriet; das trug zur Rückkehr von Magdeburg bei. [46] Eine Tochter sollte diese Anlage erben: *Lisbeth*

Der Breite Weg in Magdeburg

nachtwandelt.[47] Bemerkenswert ist auch der Eindruck, den der Freitod des Kretschmannschen Sohnes auf Raabe machte. Er mußte helfen, den Toten aufs Lager zu legen. Das erregte ihn so sehr, daß er nicht im Hause blieb, sondern den Rest der Nacht bei einem Freund auf dem Sofa verbrachte. Am nächsten Abend suchte er durch einen Trunk den Schlaf herbeizurufen. Als er heimkehrend über den Flur tappte, fühlte er sich vor dem Totenzimmer heftig vor die Brust gestoßen. Auf seinen Angstschrei kam man mit Licht. Da ergab sich, daß eine Ratte, die von den Resten des Abendbrots gefressen hatte, aufgescheucht und daß diese ihn angesprungen hatte. Aber noch vier Wochen lag dem Achtzehnjährigen der Schreck in den Gliedern.[48] Das geschichtliche Bild der Stadt traf also eine sehr reizbare Phantasie.

Dazu kamen starke Anregungen aus der Literatur, unterstützt durch Diskussionen mit den Kollegen. In ihnen lernte Raabe besonders die Philosophie Ludwig Feuerbachs kennen, die auch Keller stark beeinflußte. Seine Tätigkeit – er selbst hat sie später als *Faulenzen mit Hindernissen bezeichnet* [49] – gab ihm Zeit und Gelegenheit zu ausgedehnter eigener Lektüre. Im Antiquariat der Buchhandlung befanden sich Bücher aus dem achtzehnten und aus früheren Jahrhunderten, darunter verschiedene Magdeburger Chronikwerke. Er las sie eifrig. Sie lieferten ihm die Gestalten, mit denen seine Phantasie bei den nächtlichen Spaziergängen die Stadt bevölkerte. Außerdem las er jetzt wie später als Student auch die zeitgenössische Literatur.

Die Creutz'sche Buch- und Musikalien-Handlung

Sue hatte er schon als Knabe verschlungen, auch den älteren Dumas, der seine Phantasie anregte, und Balzac, dessen «Menschliche Komödie» ihn beeindruckte. Er las die Engländer Scott, Sterne, Thackeray – um dessen «Pendennis» willen lernte er Englisch – und später Dickens; dazu kam Andersen. Unter den Deutschen erwähnt er Auerbach, dann Heine, den er zeitlebens hochschätzte, Freiligrath, E. Th. A. Hoffmann – sicher nur eine Auswahl dessen, was er in Magdeburg sich lesend aneignete. Das alles konnte wohl einen Dichter im Werdestand fördern und der künftigen Aufgabe zuwachsen lassen, die er damals nicht nur dunkel ahnte. Gleich zu Beginn der Lehrzeit erwarb er Friedrich Rückerts «Deutsche Metrik»[50].

Außer den erwähnten Besorgnissen Kretschmanns ist ein äußerer Anlaß, der dieser Magdeburger Zeit ein Ende setzte, nicht zu erkennen. Raabe nahm sie zum Anlaß, den Beruf des Buchhändlers aufzugeben und kehrte nach Wolfenbüttel zurück. Der Versuch war gescheitert. *Fast wäre ich daran zu Grunde gegangen, wenn ich mich nicht durch einen kühnen Sprung gerettet hätte. Krank kam ich nach Hause zurück.*[51]

STUDIUM IN BERLIN

Die Rückkehr Raabes in die Kleinstadt, wo der Zweiundzwanzigjährige als Gescheiterter erscheinen mußte, wird nicht leicht gewesen sein. Die Heimkehr eines verlorenen Sohnes ist nicht ohne Grund ein Hauptmotiv in seinen Dichtungen. Die Wolfenbütteler Erfahrungen wirken am stärksten in *Abu Telfan* nach, in der Spannung zwischen dem heimkehrenden Hagebucher und den Honoratioren von Nippenburg und Bumsdorf[52], und in der Aufnahme, die die Stammgäste des «Goldenen Arm» Stopfkuchen bereiten, als er von der Universität heimkehrt.[53] Die Mutter hielt auch unter diesen schwierigen Umständen zu ihrem Sohn. Von jetzt an zielt er unausgesprochen, aber deutlich erkennbar auf schriftstellerische Betätigung. Die Grundlage sollte ein Studium an der Universität schaffen, das er zunächst auf dem normalen Wege über das Abitur anstrebte. Dessen Vorbereitung diente das Jahr in Wolfenbüttel, das sich an Magdeburg anschloß, und über das wir wenig wissen.

Daß er dort ein volles Jahr anscheinend zwecklos spazierenlief – so Lau, der sich auf Raabe beruft –, braucht nicht im Widerspruch dazu zu stehen. Als aber dieser Versuch, das Studium auf dem Wege über den Gymnasialabschluß zu erreichen, nicht gelang, reiste Raabe Ostern 1854 nach Berlin, um sich als Hörer an der Universität einschreiben zu lassen. Es kam ihm eben nur darauf an, die Möglichkeiten der Universität für seine Entwicklung zu nutzen, nicht auf das volle akademische Studium als Sprungbrett für eine künftige Laufbahn. Für seine Situation und seine eigene Einstellung ist bezeichnend, daß er diesen neuen Schritt auf dem Lebensweg mindestens zum Teil selbst finanzierte. Er hatte von einer alten Tante einen Beutel voll alter Harzgulden, Andreastaler usw. erhalten, aus deren Verkauf er die erste Reise nach Berlin zur Universität bestritt.[54]

Raabe schildert im *Hungerpastor* die Ankunft seines Helden Hans Unwirrsch vor der großen Stadt, mit der Berlin gemeint ist: *Die Landstraße hatte sich an einem ziemlich unbedeutenden Hügel emporgewunden ... Nacht war's und still ... Vor dem Hügel lag die Ebene ... mit Staunen und Schrecken starrte Hans auf den feurigen Schein vor ihm und horchte auf das dumpfe Rollen und Summen, welches aus einer unendlichen Tiefe dicht zu seinen Füßen zu kommen schien. – «Das ist die Stadt!» ... «Das ist die Stadt! Ich habe davon geträumt, aber das ist doch anders als der Traum!»* ... *Die Idee war ihm gekommen* ... *er* ... *stehe allein dem drohenden Untier da unten gegenüber.* Es war das Gefühl, welches die gefangenen Sklaven hatten, wenn das dunkle Tor hinter ihnen zugefallen war und der unentrinnbare Kreis der Arena mit seinem zerstampften Sande, seinen Blutlachen, seinem Gebrüll, Hohngelächter und Geheul sich vor ihnen dehnte ... «*Das ist wie das Meer sein muß*», sagte Hans, «*und ich stehe am Rande wie ein Knabe, der das Schwimmen lernen soll. Es treibt mich mit unwiderstehlicher Gewalt hinab, und doch fürchte ich mich. Ich fürchte mich vor der Gewährung meiner Wünsche; – was mich vordem mit so tiefem Verlangen erfüllt hat, macht mir jetzt ebenso tiefes Grauen.*»[55] Die äußere Situation dieser Ankunft Hans Unwirrschs in Berlin entspricht sicher nicht der Raabes. Aber die Atmosphäre dieser Schilderung, der der Blick vom Kreuzberg auf Berlin zugrunde liegt, wird etwas von den Gefühlen festhalten, die Raabe bei der ersten Begegnung mit der Großstadt erfüllten, am Beginn eines Lebensabschnittes, über dessen Bedeutung er sich nicht im unklaren sein konnte.

Berlin, das damals etwa 450 000 Einwohner zählte, war noch nicht die arbeitsdurchpulste Metropole, zu der es sich als Reichshauptstadt entwickeln sollte. Es war das Berlin Friedrich Wilhelms IV. in der Zeit des Nachmärz, der siegreichen Reaktion, das Berlin des späten Biedermeier, architektonisch noch vom Klassizismus geprägt, in seinem Leben bestimmt vom Hof, der Regierung und den Beamten, hinter denen das Bürgertum zurücktrat. Raabe, der aus dem engen Wolfenbüttel kam, mußte die Großstadt stark beeindrucken. Er tauchte in ihr unter und lebte im wesentlichen seiner Arbeit. *Ich* ... *konnte 1854 nach Berlin zur Universität gehen, wo ich bis 1856 blieb. Eine ziemliche Menge sehr verworrenen Wissens hatte ich im Hirn zusammengehäuft, jetzt konnte ich Ordnung darein bringen und tat es nach Kräften. Ohne Bekannte und Freunde in der großen Stadt war ich vollständig auf mich selbst beschränkt und bildete mir in dem Getümmel eine eigene Welt.*[56] In der Tat suchte er weder in studentischen Kreisen Anschluß noch in literarischen, wie sie Fontane im «Tunnel unter der Spree» und im «Rütli» gefunden hatte. Dieser, Keller und Raabe lebten damals gleichzeitig in Berlin, ohne voneinander zu wissen. Wir hören nur von freundschaftlichen Beziehungen Raabes zu Stülpnagel, Buchhändler und Besitzer der «Deutschen, französischen und englischen Leihbücherei in der Markgrafenstraße», einem *lieben, feinsinnigen Mann* ... *einem meiner liebsten Freunde in Berlin*[57]. Stundenlang saß er in dessen Bücherei, die Vorbild der Leihbücherei Achtermanns in *Deutscher Adel*[58] ist, und diskutierte mit ihm; er war auch Gast in dessen Wohnung. Raabe besuchte eine Tanzstunde; zu diesem Zweck soll er seine Schiller-Ausgabe versetzt haben. Häufig ging er ins Theater; vor allem aber besuchte er die Berliner Volksbühnen. Dem Leben der großen Stadt, besonders dem einfachen Volk, galt sein Interesse. Folgende Sätze aus *Theklas Erbschaft* tragen autobiographischen Charakter: *Ich war ein Student, und ich studierte in Berlin die schönen Wissenschaften und die häßlichen ... Ich studierte aber auch das Leben, und in ihm das Schöne und das Häßliche von demselben Blatt – o großer Gott, was studierte ich alles! Es ist mir heute noch ein Mirakel, daß ich nicht mit einem Riß, einem Sprung im Hirnkasten oder einem darum gelegten eisernen Bande herumlaufe: die Gehirnerweiterung war zu mächtig!* [59]

Aber neben diesem Studium des Lebens verfolgte er zielbewußt den eigentlichen Zweck seines Berliner Aufenthaltes, das Studium an der Universität, an der er sich als Hörer der philosophischen Fakultät einschreiben ließ. Die Auswahl der Vorlesungen, die er durchweg fleißig hörte [60], war geeignet, *die disjekten Membren meiner Weltkenntnis mehr in ein übersichtliches Ganzes zusammenzubringen.* Damals *gehörte ... dort alles noch den Hegelianern ... Die Diadochen hatten ja eben erst den Mantel Alexanders geteilt – unter sich geteilt, d. h. die Herausgabe seiner sämtlichen Werke bewerkstelligt.*

So sind zuerst die Hotho, Michelet, Märcker und wie sie alle heißen, meine Lehrer geworden. [61]

Auffälligerweise hält er den am 8. August 1895 erfolgten Tod des *Professor* (Lektor der Stenographie) *Michaelis, Berlin* im Tagebuch fest, bei dem er 1855 deutsche Stenographie belegt hatte. Aber der Vorlesungsbesuch beschränkte sich nicht auf die von ihm genannten Philosophen. Die Auswahl von Vorlesungen aus der Geschichte, der Kunstgeschichte, aus der deutschen und außerdeutschen Kultur- und Literaturgeschichte und aus den verschiedensten Gebieten der Philosophie ist nicht von der Zielsetzung eines Berufs bestimmt. Neben dem Gesichtspunkt der Sparsamkeit – Raabe belegte in vier Semestern nur fünf gebührenpflichtige Vorlesungen – leitete ihn der Wunsch, Kenntnisse zu erwerben und Gesichtspunkte zu gewinnen, die für eine schriftstellerische Tätigkeit förderlich waren; diese streb-

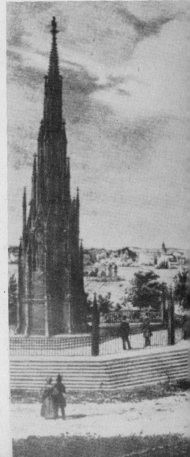

Berlin, vom Kreuzberg aus gesehen

te er seit Magdeburg als Ziel an. Die Vorlesungen ergänzte ein eifriger Besuch der Museen, in denen er ganze Tage zubrachte.

Über seine persönlichen Erfahrungen und Erlebnisse weiß man so gut wie nichts, noch weniger als in späterer Zeit, in der das äußerst knappe Tagebuch wenigstens gelegentlich einen Hinweis gibt. Was mag hinter der Tagebucheintragung vom 29. November 1879 stecken: *NB. Vor 25 Jahren unter den Linden?* In sorgfältiger Analyse hat man aus bestimmten Frauengestalten in Raabes Werken auf Erlebnisse der Berliner Zeit zurückzuschließen versucht[62], sicherlich nicht ohne Anlaß, aber ohne greifbares Ergebnis. Es ist für Raabe charakteristisch, daß seine «Erlebnisse» in das Werk fest eingeschmolzen werden und sich nicht aus ihm lösen lassen.

Raabe war etwa ein halbes Jahr in Berlin, als er begann, die *Chronik der Sperlingsgasse* zu schreiben; die *Sperlingsgasse* meint die Spreegasse in Berlin, in der Raabe wohnte. *Trauerspiele und Gedichte habe ich vorher weder gemacht noch verbrannt und mich somit*

Berlin, 1854

vor manchen Sünden bewahrt, die andere junge Poeten mit Feder und Dinte begehen. Er nennt das Buch *sozusagen eine pathologische Merkwürdigkeit*[63]. Aber es fällt auf, daß er frühere schriftstellerische Versuche in Prosa nicht bestreitet, und manches deutet darauf hin, daß solche vor der *Chronik* unternommen wurden, vor allem Vorarbeiten zu der historischen Novelle *Der Student von Wittenberg*, deren Konzeption bis in die Magdeburger Zeit zurückreicht und die ursprünglich in die *Chronik* eingebaut war.

Der Anfang der *Chronik*[64] beschreibt den entscheidenden Augenblick des Beginns der Niederschrift. *Herbst... feiner kalter Vorwinterregen... eine böse Zeit.* Aus einem Buch steigt das Bild Matthias Claudius' auf, der das neue Fest erfindet, *der Herbstling... zu feiern, wenn der erste Schnee fällt... Wenn der erste Schnee fällt – wie ich in diesem Augenblick wieder einmal einen Blick zur grauen Himmelsdecke hinaufwerfe, da – kommt er herunter – wirklich herunter, d e r e r s t e S c h n e e! Schnee! Schnee! der erste Schnee!* Dann schildert Raabe die Veränderungen, die der erste Schnee im Aussehen der Gasse hervorruft. *Jetzt ist die Zeit für einen Märchenerzähler, für einen Dichter. – Ganz aufgeregt schritt ich hin und her; vergessen war die böse Zeit; – auch mir war, wie weiland dem ehrlichen Matthias, ein großer Gedanke «aufs Herz* geschossen». Ich führe ihn aus, ich führe ihn aus! brummte ich vor mich hin, während ich auf und ab lief ... «Ein Bilderbuch der Sperlingsgasse.»

«Eine Chronik der Sperlingsgasse.» ... Ich mußte mich wirklich setzen, so arg war mir die Aufregung in die alten Beine gefahren, und ich benutzte das gleich, um ein Buch Papier zu falzen für meinen großen Gedanken.

Das ist stilisiert. Der Wirklichkeit entspricht das Datum über der Schilderung, ebenso, daß es am 15. November 1854 in Berlin schneite und daß Raabe an diesem Tag mit der Niederschrift der *Chronik* in der Spreegasse begann. Er bewohnte hier im Haus Nr. 11 in der ersten Etage ein Zimmer. Die Spreegasse ist das Vorbild der Sperlingsgasse. Dagegen ist es Stilisierung, wenn Raabe dies Zimmer in eine Poetendachstube verwandelt [65], Stilisierung ist der Hinweis auf Claudius, Goldsmith, Rousseau, Jean Paul und – ohne Namensnennung – Andersen. [66] Stilisierung ist der greise Erzähler, Stilisierung ist das Falzen des Papiers. Der wirkliche Vorgang war anders: *Ich hatte mir das gelbe Papier aus einer leeren Zigarrenkiste herausgerissen,*

Anmeldebogen für die Universität Berlin

darauf habe ich die «Sperlingsgasse» begonnen.[67] Gerade dieser Zug bestätigt die Plötzlichkeit des Entschlusses. Sie wird durch die Stilisierung herausgearbeitet und in einem Sinne gedeutet, der das Selbstverständnis Raabes kennzeichnet. Der junge Student erfährt, versteht und deutet den Entschluß, die *Chronik* zu schreiben, als Berufung zum Dichter, als Evokation, und dementsprechend empfindet er sein Dichtertum als Aufgabe.

Es entspricht dieser Selbstauffassung, wenn die Freunde und Raabe selbst den 15. November später als «Federansetzungstag» festlich begingen. Und es entspricht ihr ebenso, wenn Raabe von nun an den Weg des freien Schriftstellers unbeirrt gegangen ist, bis er sich nach Abschluß seines letzten Werkes als *Schriftsteller a. D.* bezeichnet. Er hat nicht – wie Keller – ein Amt übernommen oder einen Beruf ergriffen, auch nicht den eines Redakteurs, wie es sein späterer Freund Wilhelm Jensen zeitweilig tat. Angebote hat er abgewiesen und sich und seine Familie durch die Erträge seiner Feder erhalten, durch eine schriftstellerische Produktion, die sich fast pausenlos über mehr als vier Jahrzehnte erstreckt. Immer war es die Produktion eines Einsamen: *Im Augenblick, wo der echte Künstler schafft, hat er weder Weib noch Kind und am allerwenigsten Freunde.*[68]

Wenn Raabe die *Chronik der Sperlingsgasse* als *pathologische Merkwürdigkeit* bezeichnet, so besteht die Merkwürdigkeit vor allem darin, daß er in diesem Erstlingswerk eines eben Dreiundzwanzigjährigen ein Kunstwerk von größter Selbständigkeit schafft.[69] Es steht im Gegensatz zu der herrschenden Romanform, die von Goethe her bestimmt ist, es präludiert den späteren Raabe und seine reifsten Werke und mit diesen die Entwicklung des Romans im 20. Jahrhundert. Die *Chronik* knüpft nicht an den zeitgenössischen Roman an, der auf die Darstellung einer vermeintlich objektiven Wirklichkeit zielte. Sie griff auf die Art des Erzählens zurück, die im englischen humoristischen Roman des 18. Jahrhunderts, vor allem Sternes, vorgebildet war – aus ihm wird einmal in der *Chronik* ohne Namensnennung zitiert [70] – und die letztlich von «Don Quijote» herkam, der in der *Chronik* noch nicht, später aber häufig genannt wird. Für Sterne ist die vermeintlich objektive Wirklichkeit bedeutungsloser als das erlebende und erzählende Ich, die erlebte Wirklichkeit hängt vom erlebenden Subjekt ab, und die Vermittlung beider durch einen Erzähler, der persönlich hervortritt, bestimmt die Art des Erzählens und den Bau der Erzählung, einerlei, ob der Erzähler als solcher verselbständigt wird oder ob der Autor selbst zu sprechen scheint. So wird die «Wirklichkeit als Perspektivität» erfahren, und die Darstellung ist gekennzeichnet durch den «Vorrang des Erzählers gegenüber dem Erzählten»[71].

In der *Chronik* tritt der Erzähler als Ich-Person auf; ein alter Mann, Johannes Wachholder, mischt in seiner Erinnerung die verschiedenen Zeitebenen durcheinander. Einundzwanzig Aufzeichnungen, die die Zeit vom 15. November bis zum nächsten 1. Mai umfassen – Schreibzeit –, bilden die *Chronik*. Aber die einzelnen Auf-

Berlin: die Spreegasse (Sperlingsgasse)

zeichnungen enthalten immer wieder Erinnerungen Wachholders und auch anderer, zum Teil als eingelegte Blätter, Erinnerungen, die drei Generationen umfassen. Einzelne Aufzeichnungen sind ganz der Gegenwart gewidmet; auch hier finden sich Einlagen. Diese disparaten, mit- und ineinander verschlungenen Bilder aus den verschiedenen Zeiten, Wellen, die in Wachholders Erinnerung heranspülen, werden zusammengehalten durch den einheitlichen Raum, die Sperlingsgasse mit den beiden Wohnungen, die einander gegenüberliegen. Zwar findet auch zwischen ihnen Tausch und Umzug statt, aber das verfestigt nur die Beziehung zwischen beiden, ebenso wie die Botschaften, die auf verschiedene Weise hin- und hergehen. So wird der Raum der Gasse geschlossen gehalten und gibt den wechselnden Erinnerungsbildern Halt.[72] Dabei kommt es in erster Linie auf den Erinnerungsvorgang an, nicht auf seinen Inhalt. Dieser, die eigentliche Handlung, ist – hier zeigt sich die Jugend des Verfassers –

Spreegasse Nr. 11. Zeichnung von Raabe

August Stülpnagel. Gemälde, um 1850

konventionell, manchmal trivial. Sie enthält eine Verführungsgeschichte, deren Schuld schließlich in der dritten Generation durch Liebe gesühnt wird, und die Liebe Wachholders zu der kleinen, verwaisten Elise, die seinem Leben Inhalt gibt. Nicht diese Handlung ist wesentlich, sondern der Vorgang der Erinnerung und seine Übermittlung, die die Handlung vergessen läßt. Das meinte Hebbel[73]: «Eine vortreffliche Ouvertüre! Aber wo bleibt die Oper?» Nach der eindrucksvollen Schilderung des Entschlusses, zu schreiben, erwartete er mehr an Handlung und Wirklichkeit. «Wir haben nichts dagegen, daß auch die Töne Jean Pauls und Hoffmanns einmal wieder angeschlagen werden, aber es muß nicht bei Gefühlsergüssen und Phantasmagorien bleiben, es muß auch zu Gestalten kommen, wenn auch nur zu solchen, wie sie der Traum erzeugt.»

Auch die Gegenwartsbeziehungen auf das Berlin der fünfziger Jahre des vorigen Jahrhunderts sind deutlich. Raabe schildert nicht nur, überwiegend ironisch, die nachmärzliche Reaktion[74], er gibt nicht nur der tiefen Sehnsucht nach nationaler Einheit immer wieder Ausdruck[75]; unter den zeitgenössischen Schriftstellern ist er der einzige, der die nahenden sozialen Umwälzungen in den Blick bekommt und das Heraufkommen des vierten Standes, des Proletariats, bemerkt[76],

Titelblatt der Ausgabe von 1857

den er ausdrücklich so nennt. Das setzt sich in *Ein Frühling* fort, wo Raabe die künftige proletarische Revolution, die *dritte Sündflut* prophezeit[77]; es kehrt am Ende von *Weihnachtsgeister* wieder, um schließlich im *Hungerpastor* noch einmal aufzuklingen.[78]

Nicht nur in der Form des Ganzen, auch in vielen Einzelzügen enthält die *Chronik* vieles von dem späteren und dem reifen Raabe. So hat auch die historische Erzählung, die später zeitweise eine so große Rolle bei Raabe spielt, in der *Chronik* ihren Platz (in der Erzählung der Großmutter Karsten[79]) und sollte ursprünglich noch mehr Platz haben. Die historische Novelle, die später als *Der Student von Wittenberg* selbständig ausgeformt wurde[80], war zur Einlage in die *Chronik* bestimmt, wurde aber auf Rat des Verlegers herausgenommen.

Die Niederschrift der *Chronik* dauerte bis in den Sommer 1855.

Als erstem gab Raabe das Manuskript August Stülpnagel zu lesen, der es Alexis vorlegte und nach dessen positivem Urteil in Franz Stage einen Verleger fand[81], nicht ohne daß Raabe einen Druckkostenzuschuß leistete. Raabes Erstling erschien in Oktober 1856 (auf dem Titel: 1857) unter dem Pseudonym Jacob Corvinus.

WIEDER IN WOLFENBÜTTEL

Inzwischen war Raabe Ostern 1856 nach Wolfenbüttel zurückgekehrt, scheinbar mit demselben negativen Erfolg wie aus Magdeburg. *Als ich jung von Berlin kam und brachte ihr* (der Mutter) *das Manuskript der «Chronik» mit und legte es ihr vor, da sagte sie: «Ach, Wilhelm, es wird ja doch wieder nichts»*, erzählte Raabe später dem Freund Wilhelm Brandes.[82] Erst das Erscheinen der *Chronik* und eine ganze Reihe lobender Besprechungen erregten unter den Verwandten und Bekannten in Wolfenbüttel Aufsehen. Jetzt wurde Raabe auch hier anerkannt, und die Kreise der Wolfenbütteler Honoratioren öffneten sich ihm. Er trat in deren «Namenlosen Club» ein und schloß sich einem kleinen Freundeskreis früherer Mitschüler an, «Caffee» genannt, weil man sich am Sonntagnachmittag beim Kaffee traf. Alle außer Raabe waren Juristen, die später im engeren und weiteren Vaterland Erfolg und Ansehen errangen.

An unserm Lebensabend können wir wohl mit einiger Gelassenheit auf den zurückgelegten langen Weg zurückschauen: wir haben ni e das Unsrige gesucht, sondern nur gesucht, für möglichst viele Nachkommende den Pfad weiter in die Zeit zu ebnen und ein bißchen behaglicher zu machen... Und von den Fünfen, die wir damals in unsrer Jugend so treulich zusammenhielten... hat wohl keiner vom andern denken und sagen dürfen: «D e r gehörte eigentlich nicht zu Euch!» schreibt der fünfundsiebzigjährige Raabe fast ein halbes Jahrhundert später[83] und erwähnt *das Bild von 1859, noch immer über meinem Schreibtisch hängend... heute noch in Braunschweig wie vordem in Stuttgart.* Gleichzeitig hielt er aber auch Freundschaft mit einem anderen Juristen, der wegen seiner Betätigung im Nationalverein später gemaßregelt wurde. Ihm selbst bestätigte der Erfolg die Richtigkeit seines Entschlusses, den Weg des freien Schriftstellers einzuschlagen. *... habe ich das Gefühl, als könne ich Bücher solcher Art, vielleicht auch bessere noch mehr und vielerlei zu Tage fördern.*[84] So führt er sechs Jahre in Wolfenbüttel das Leben eines angesehenen Schriftstellers, dessen Manuskripte von Zeitschriften und Verlegern akzeptiert werden und dem auswärtige Besucher Wolfenbüttels ihre Aufwartung machen. Unter ihnen befand sich Wilhelm Dilthey (3. Januar 1860): «Eine rechte Studenteneinrichtung, und auch sein Ton und Behaben ganz danach. So bestimmt er offenbar in sich ist, so gut läßt sich mit ihm reden. Er scheint sich in seiner Haut unsäglich wohl zu fühlen und teilt jedem Gast etwas von seinem reali-

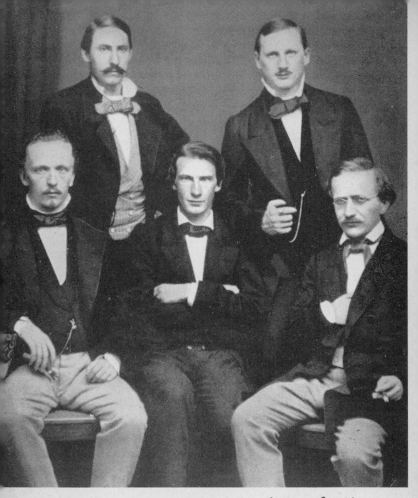

Raabe (Mitte) und seine Wolfenbütteler Freunde. Fotografie, 1862

stischen Behagen mit. Den Eindruck des Bedeutenden macht er nicht...
Ich meine seine Erscheinung und den Eindruck der Rede. Nur den des
scharfen Beobachters.»[85]

Raabe wohnte bei der Mutter im Hause Okerstraße 16. In seinem
Arbeitszimmer stand der Sekretär, an dem schon der Großvater geschrieben hatte; an den Wänden hingen außer dem Bild Goethes die
von Schiller und Garibaldi. Die Fenster blickten auf grüne Gärten
und die Anlagen, die die Stelle der alten Festungswälle einnahmen.
Das Zimmer war belebt von einer Katze und einem zahmen Raben,
die Raabe sich zur Gesellschaft hielt. Anregungen und Stoff für die

Okerstraße 16. Raabes Wohnhaus in Wolfenbüttel

schriftstellerische Arbeit bot in reichem Maße die altberühmte Bibliothek.[86] Auch die Nähe Braunschweigs machte Raabe sich zunutze. Er war in dieser Zeit ein eifriger Besucher des dortigen Hoftheaters, das sich auf dem Hagenmarkt befand.

Von Wolfenbüttel aus wanderte ich oft mehrmals die Woche nach Braunschweig und nach der Vorstellung wieder auf den Apostelrappen zurück. Damals – im Jahre 1858 – stand der große donatische Komet am Himmel und beleuchtete mit prachtvollem Glanz den nächtlichen Heimweg.[87] Hier lernte er Adolf Glaser kennen, den Redakteur der 1856 gegründeten «Westermanns Monatshefte». Bei-

Das Arbeitszimmer. Zeichnung von Raabe

de schlossen bald Freundschaft. Allwöchentlich trafen sie sich auf dem Großen Weghaus in Klein-Stöckheim zwischen Braunschweig und Wolfenbüttel, wo schon Lessing mit seinen Braunschweiger Freunden zusammengekommen war, und Glaser begleitete Raabe von dort nach Wolfenbüttel. «Raabe war schon damals, wie er immer war, ein in sich versunkener, verschlossener Mensch. Er sprach nie über seine Arbeiten. Im Umgang war er still, zuweilen aber von ausgelassener Lustigkeit, namentlich, wenn ihm die Leute sympathisch waren. Er war ungemein reizbar.»[88] Glaser öffnete dem Freund die «Monatshefte», in denen nun lange Jahre hindurch die meisten der Werke Raabes zuerst veröffentlicht wurden. Er war es auch, der den Besuch Diltheys veranlaßte, der zu den Mitarbeitern der «Monatshefte» gehörte.

Die Wolfenbütteler Jahre wurden mehrfach durch Reisen unterbrochen. Kürzere Wanderungen und Fahrten führten in den Harz und nach Thüringen. 1857 fuhr Raabe aus familiären Gründen in die Weserheimat und anschließend zu Verlagsverhandlungen nach Berlin. Er benutzte den Aufenthalt zu häufigem Theaterbesuch und zu ausgedehnter Lektüre.

Adolf Glaser

Wolfenbüttel: die Herzogliche Bibliothek.
Farbige Lithographie von G. M. Kurz nach Th. Thies

Mit dem Beginn dieser Reise – 1. Oktober 1857 – setzt Raabes Tagebuch ein, das er bis wenige Tage vor seinem Tode geführt hat (letzte Eintragung 2. November 1910).[89] Es ist heute im Besitz der Erben Raabes. Über mehr als 53 Jahre fixiert es den äußeren Ablauf eines jeden Tages in gedrängter Form. Die Eintragung beginnt jeweils mit dem Wetter, dann hält sie Erinnerungsdaten fest: den Verlobungstag, den Hochzeitstag, den Todestag der Mutter. Ferner verzeichnet Raabe alle Ereignisse, die über den normalen Tagesablauf hinausgehen: Besucher und eigene Besuche; eigene Krankheiten und die der Familienmitglieder; Schulbesuch, Tanzstunden und Bälle der Töchter; Besuch von Museen und Ausstellungen, Theater, Konzerten und Vorträgen; Geschäftswege und Spaziergänge mit Namen der Begegnenden und der Begleiter; Reisen mit genauen Angaben über Fahrplan, Hotelzimmer und -preise, Sehenswürdigkeiten und Bekanntschaften; abgehende und eingehende Briefe und Sendungen; Bücherkäufe; einzelne bemerkenswerte Vorgänge; den fast täglichen Besuch von Klubs und Gaststätten mit den immer wiederkehrenden Namen der Personen, die Raabe dort traf. Dazu kommen genaue Angaben über den äußeren Verlauf der literarischen Produktion: Entwurf, Ausarbeitung und Niederschrift der Werke von Kapitel zu Kapitel bis zum Zeitpunkt der Vollendung, den Raabe auf die Stunde genau festhält, Durchsicht, Verhandlungen mit den Verlegern, Korrekturen und Revisionen, erhaltene Honorare, Besprechungen und Neuauflagen.

Im Gegensatz zu dieser Exaktheit steht das fast völlige Schweigen über alles, was sich in Raabes Innerem abspielte. Es fehlen Angaben über die Anlässe zu den einzelnen Werken; Raabe sagt nichts über den inneren Schaffensvorgang, nichts über seine Empfindungen und Gedanken, seine Stellung zu Fragen der Zeitgeschichte. Die Namen, die er verzeichnet, stehen nackt da – höchstens, daß einmal eine Unterstreichung oder ein Ausrufungszeichen einen Namen hervorheben oder daß sich – selten – Empörung in einem Wort Luft macht. Das Tagebuch bestätigt Raabes Verschlossenheit. Auch bei Unterhaltungen ging er so gut wie niemals auf das ein, womit er sich gerade schriftstellerisch beschäftigte; daß er seinem Freund Wilhelm Brandes den Anfang von *Altershausen* im Manuskript zeigte, ist eine Ausnahme und hatte einen ganz bestimmten Anlaß.[90] Ein Manuskript, an dem er arbeitete und das seine Frau gelesen hatte, vernichtete er.

Dieser Verschlossenheit entspricht es, daß Raabe auf Stimmungen, denen er stark ausgesetzt war, im Tagebuch nur selten und mit kurzen Worten einging, z. B. *Heimatlose Stimmung* (1. Oktober 1864), *Nichtigkeit und Lächerlichkeit des Lebens* (8. August 1868), *Öde*

Aus Raabes Tagebuch

... solle ... österreich. Admiralitäts Dampfer ... die Segel des Consuls ... müllersdorf ... freundliche Begrüßung. Die übrigen Schiffe ... Schwarzenberg, mit seinen ... englische ... Edward Prinz d'Austria, dänische ... Die preußische Kanonenboote Elitz u. ... bei pr. Corvette ... die Kielschiffe ... angeschmückt ... vor Villa's ... Böllerschüsse ... um ½ 7 Uhr auf den Leuchtthürm ... um ½ 7 U. an Bord des Grafen. Die mündliche Nachricht um drei Uhr morgens. ... a. d. Nordsee, ... Lichtern u. den ... Feuerwerk ... in ... die Nacht durch die Straßen ... und im Hotel ... Schlaf bis 9¼ Uhr.

August.

1 Montag. Graue. — Sonne. ... ... um 1 Uhr — 2 Uhr in die Börse. Des ... Gebäude. die Galerey. Nacht. Die ... Alsengestalle ... um 3 Uhr Mittagessen im table house. ... nach d. Altonaer ... d. Gegend ... um 4 Uhr 50 Minuth. Station. Pinneberg ... in der ... Heide ... Neumünster ... ... Rendsburg ... ... Eckernförde. ... ... der ... Inggrande ... ... 8½ Uhr. ... nach Hotel Marseille. Zim. 15. Abends ... Stadt. ... Rundgang vom Hause 34. Nach 10 Uhr heim.

2 Dienstag. Graue. Sonnig u. wolkig. Mit L. ... des ... ... das Landhaus des Herzogs Friedr. VIII, welches in Garten spazieren geht. ... schöne Aussicht. das dänische ... auch auf der Meereshöhe aus ... Bürger ... ... u. Regenschirm. Graue, die Herzogin ... ... d'hote. Telegramm ... ... C. ... ... in Kiel, ... im Hotel ... ... 8½ nach ... ... Villa ...

und voll Sorgen in das neue Jahrzehnt (31. Dezember 1879). Mit wachsendem Alter hören solche Äußerungen fast ganz auf. Durchweg sind sie negativ; positive Äußerungen dieser Art finden sich selten, zum Beispiel am 31. Dezember 1877: *Ende eines verhältnismäßig ruhigen und bequemen Jahres,* am 6. Dezember 1874: *Zu Hause ehel. Behagen.* Das Tagebuch diente in erster Linie als Gedächtnisstütze. Die kurzen Stichworte reichen aus, um in Raabe die genaue Erinnerung an bestimmte Personen und Ereignisse festzuhalten[91]: So bildet das Tagebuch vor allem für die Entstehungsgeschichte von Raabes Werken und für ihre Text- und Wirkungsgeschichte eine wichtige Grundlage.

Aber das Tagebuch läßt dennoch Rückschlüsse auf bestimmte Eigenschaften Raabes zu, weniger durch einzelne Eintragungen als durch die ständige Wiederkehr von Eintragungen bestimmten Charakters, unter denen zwei Gruppen besonders hervortreten.

Mit einer bis ins kleinste gehenden Genauigkeit beobachtet und verzeichnet Raabe das eigene körperliche Befinden. Nicht nur schwere Erkrankungen, nicht nur die quälenden Anfälle, mit denen ihn das Asthma ständig heimsucht, werden notiert, auch jedes Unwohlsein bis zu kleinen Unfällen (*Husten – Gebrochenes Bruchband – Schlaflose Nacht – Unterwegs Gesichtsschmerzen – Schnupfen – Hexenschuß – Müde – Erkältet – Die Finger geschnitten an einer Flasche*). Auch die Entfernung einer Warze wird festgehalten. Hierzu gehören auch die Eintragungen über das Wetter, von dem Raabe sehr abhängig war. Aus der Fülle solcher Eintragungen äußert sich eine sensitive, für körperliche Leiden und für Depressionen anfällige Natur. Dem entsprach eine ähnliche Sensibilität und Anfälligkeit im seelischen Bereich. Sie hat viel weniger Spuren im Tagebuch hinterlassen; wenn sie aber einmal laut wird, hat das um so größeres Gewicht. So ist es nur eine spätere Bestätigung von Eigenschaften, die für die Magdeburger Zeit bezeugt sind, wenn der Einundsechzigjährige notiert: *Durch die leere Viewegstraße* (Straße in Braunschweig); *– Mittagsgespenst!*[92]

Eine zweite charakteristische Gruppe von Eintragungen ist die der Todesfälle. Raabe notiert regelmäßig den Tod bekannter oder ihm verwandter und befreundeter Personen unter Angabe des Todes- und Geburtsdatums. Aber etwa seit den siebziger Jahren verzeichnet er auch Todesfälle ferner stehender oder ihm kaum bekannter Personen, die ungefähr gleichaltrig oder jünger sind als er. Er hat – und zweifellos hängt das mit seiner labilen Gesundheit zusammen – schon früh mit dem Tod gerechnet, und das Bewußtsein, daß das Leben endet, war stets lebendig in ihm. Hochgesteigerte Sensibilität, Anfälligkeit für seelische und körperliche Depressionen und das Bewußtsein der Vergänglichkeit alles Lebens charakterisieren den künstlerischen Typus, dem Raabe zuzuordnen ist. Von hier aus erklärt sich die Vorliebe für Horaz, den er von allen antiken Dichtern am meisten zitiert. Denn auch Horaz lebt in einer Welt, die er als ungeordnet und chaotisch empfindet, und er sieht das Leben ständig

Raabe, Horaz lesend. 1901

von ihr bedroht, eine Bedrohung, die ihren stärksten Ausdruck in der Gewißheit des Sterbenmüssens findet. In ihr sich zu behaupten, ist die eigentliche Aufgabe des Menschen. Ähnlich ist für Raabe die Welt unter dem Maßstab idealer Vorstellungen unzulänglich, das Leben in ihr leidvoll, der Tod als hintergründige Gegenwart dem Leben immanent, und Raabes ganzes Werk ist ein Versuch, sich in einer solchen Welt zu behaupten. Nicht ohne Grund war Horaz einer seiner Lieblingsdichter.[93]

Diese Natur Raabes bestätigen auch einige wenige ausdrückliche Aussagen: *Die schrecklichen Augenblicke, in welchen man in so kalter Verzweiflung zusammenzählt, wieviel man noch aufgeben könne, ohne die letzten Bedingungen des Daseins aufzugeben. – Das Mal der Dichtung ist ein Kainsstempel, welcher einem auch nicht gratis aufgedrückt wird,* notiert er 1864.[94] *Und so ist das, was ihr mein sonnige Heiterkeit nennt, nichts als das Atemschöpfen eines dem Ertrinken nahen* (1878).[95] *– Ich bin mein ganzes Leben durch nur auf den Fang von glücklichen Schaffensminuten mit dem Schmetterlingsnetz ausgegangen. Und welch eine Geduld und Ruhe erfordernde Jagd das ist, das weiß jeder rechte Künstler. So sagen die verständigen Leute, die es «zu etwas bringen in der Welt»: Er hat sein Leben vertrödelt* (1878).[96] *– Ich bin mein ganzes Leben durch die heiße Hand an der Gurgel mit der Frage: Was wird aus Dir und den Deinen morgen? nicht losgeworden* (1896).[97] Man darf solche Äußerungen, auch die letzte, nicht oder nur zum geringsten Teil auf die wirtschaftliche Lage beziehen. Diese war – auch das ergibt sich aus dem Tagebuch – wohl gelegentlich angespannt, aber nie wirklich katastrophal. Die Reserve – die Mitgift seiner Frau – hat Raabe nie in Anspruch genommen. Auch bei dem zitierten Ausspruch geht es in erster Linie um die Todesdrohung. *Da man sich in das Leben hat fügen müssen, wieviel leichter sollte man sich in den Tod fügen können* (zwischen 1895 und 1903).[98] Die ununterbrochene Kette der Werke durch ein halbes Jahrhundert ist nicht als Resultat wirtschaftlichen Zwanges zu werten, sondern als Ausdruck der inneren Notwendigkeit, die Ernte einzubringen, ehe der Abend hereinbricht.

Außer dem Tagebuch hat Raabe sieben Notizbücher hinterlassen. Sie befinden sich heute im Stadtarchiv in Braunschweig.[99] Aus den Jahren 1861 bis 1902 stammend, enthalten sie Entwürfe zu Gedichten und Prosawerken, auch Pläne für nicht ausgeführte Dichtungen, Zitate, Gedanken und aphoristische Aufzeichnungen, die zum großen Teil in Raabes Werke eingegangen sind, bemerkenswerte Namen, Notizen über Reisen und Gedächtnishilfen sehr verschiedener Art.

Diesen Notizbüchern und einer Mappe mit Notizzetteln entstammen Äußerungen Raabes, die früher «Gedanken und Einfälle» hießen, heute weniger glücklich als «Aphorismen» bezeichnet werden. Sie waren von Raabe nicht für die Veröffentlichung bestimmt und sind nicht anders zu bewerten als die entsprechenden Eintragungen in den Notizbüchern, die er in den Werken, aber auch in Briefen verwendet hat, meist unter Hinweis im Notizbuch. Dies bedeutet, daß sie durchaus nicht immer die Ansicht Raabes wiederzugeben brauchen, auch nicht die auf einer bestimmten Stufe seiner Entwicklung, die sich aus dem Datum ergibt.[100] Oft sind sie auch nachträglich geändert worden. Es ist daher die größte Zurückhaltung geboten, und bei jedem einzelnen «Aphorismus» muß man sich erneut die Frage vorlegen, welchem Zwecke er dienen sollte und wie er zu werten und zu verstehen ist.

DIE «BILDUNGSREISE»

Die genannten kleineren Reisen werden an Bedeutung weit übertroffen durch eine große Reise, die Raabe vom 5. April bis 18. Juli 1859 vor allem durch Süddeutschland führte.[101] Sie sollte seinen Horizont erweitern; zugleich wollte Raabe andere Schriftsteller besuchen und so das Handwerk grüßen. Ursprünglich sollte Italien das Ziel sein. Aber der Ausbruch des Krieges zwischen Österreich und den Verbündeten Sardinien und Frankreich verhinderte diese Absicht. Gustav Freytag hatte ausdrücklich abgeraten und gemeint, die Niederlande seien für einen deutschen Schriftsteller ein besseres Reiseziel als Italien. Raabe traf ihn in Leipzig, der ersten Station der Reise; von da ging es nach Dresden. An beiden Orten suchte er die Berufsgenossen auf, unter ihnen Friedrich Gerstäcker und Karl Gutzkow, der seine Werke sehr lobte, er besuchte Museen, Theater und sonstige Sehenswürdigkeiten. Inzwischen war der Krieg ausgebrochen, was Raabe aber nicht hinderte, nach Österreich zu gehen. Zunächst besuchte er die Sächsische Schweiz, dann Prag, wo ihn der Verleger Kober durch die Stadt führte. Hier machte ihm der Judenfriedhof den tiefen Eindruck, den er später in *Holunderblüte* wiedergab.[102] Von Prag ging es nach Wien.

*Der Sommerabend war sehr schön, die Landschaft in den letzten Strahlen der Sonne unendlich grün und leuchtend, und – dort guckte der Stephansturm aus dem Grün wie jeder andere Kirchturm hervor – «Bassama –, wär das auch übergestanden! Sind wir da, und wünsch fernerhin glücklichen Reis'!» sagte der alte ungarische Dorfpastor. Mit Sonnenuntergang war man in der Tat in Wien angelangt. Der alte dicke ungarische Dorfpastor, welcher von Brünn an ... die treffliche Vorlesung über die ungarischen Flüche gehalten hatte und welcher sich zur Belohnung und als einzige Gegenleistung für seine Gefälligkeiten in Hinsicht auf seinen Zwetschgenbranntwein und seinen ausgezeichneten Tabak ausgebeten hatte, der Herr möge ihm einmal einen preußischen Taler – einen «wirklichen preußischen Taler mit dem Alten Fritz drauf» zeigen, hatte den jungen Mann seiner väterlichen Obhut und Führung entlassen.[103] Auffallenderweise machte Raabe in Wien keinerlei Anstalten, seine Kollegen aufzusuchen, sondern hielt sich hier wie auch später in München ganz zurück. Um so eifriger durchstreifte er, meist allein, die Stadt und

Das Wohnhaus der Schwiegereltern

die Umgebung, besuchte die Theater und studierte das Volksleben.[104] In die Zeit des Wiener Aufenthalts fällt die erste große Schlacht in Italien. Das Eintreffen der Nachricht in Wien meldet das Tagebuch am 6. Juni 1859: *Im Esterhazykeller. Die erste Nachricht von der Schlacht bei Magenta.* Vierzig Jahr später läßt Raabe in *Altershausen* die Hauptperson Geheimrat Feyerabend im Traum erleben, was er selbst damals sah, ein charakteristisches Beispiel für die Funktion des Tagebuchs als Erinnerungsstütze. *An einem wolkenlosen Junitag stieg der Studierende der Medizin zu Wien aus der kühlen, dunkeln Tiefe des Esterhazykellers in den heißen, blendenden Mittag im Haarhof hinauf, von dem bepelzten Mann am Schenktisch, dem Pfiff Süßen und dem Pfiff Herben in diese glühenden Gassen voll Sonnenlicht, in Hast aufgerissener Fenster bis zu den höchsten Stockwerken, voll aufgeregter, angstvoller, zorniger Menschengesichter: «Magenta!»*[105]

Man hat gemeint, der Gegensatz zwischen dem unglücklichen Kriegsgeschehen in Oberitalien und dem ungestörten Verlauf des großstädtischen Lebens in Wien sei für Raabes politische Entscheidung gegen Österreich und für Preußen ausschlaggebend gewesen und verweist auf eine Stelle in *Keltische Knochen*[106], die aber keineswegs eindeutig für diese Auffassung spricht. Man vergißt dabei, daß die Kriege des 19. Jahrhunderts, auch der von 1870/71, das zi-

Raabe mit seiner Braut, 1862

Die Marienkirche in Wolfenbüttel

vile Leben außerhalb der Kampfgebiete fast unberührt ließen – in einer Weise, die der Miterlebende der totalen Kriege des 20. Jahrhunderts sich kaum vorstellen kann. Das ergibt sich auch aus dem Tagebuch, das Raabes Besuch in Hamburg 1864 während des Krieges gegen Dänemark festhält.[107]

Da die Kriegsereignisse das ursprüngliche Reiseziel Italien widerrieten, fuhr Raabe donauaufwärts über Linz in die Alpen – Gmunden, Hallstatt (geschildert in der Groteske *Keltische Knochen*)[108], Salzburg – und nach München. Auch hier nahm Raabe kaum Fühlung mit literarischen Fachgenossen auf. Das änderte sich in Stuttgart. In dem Schriftstellerkreis, der die Stadt damals zu einem geistigen Vorort Deutschlands machte, fand er herzliche Aufnahme; das Tagebuch verzeichnet eine Fülle von Verlegern und Autoren. Die Weiterreise führte über Heidelberg, Frankfurt, Mainz und den Rhein hinab nach Bonn und Köln. Von da kehrte Raabe nach Wolfenbüttel zurück.

Die Reise brachte ihm vielerlei Anregungen sowie eine genauere

Kenntnis verschiedener deutscher Stämme und Staaten; viele einzelne Erlebnisse haben sich in seinen Werken niedergeschlagen. Ob das verstärkte politische Engagement, das Raabe nach der Heimkehr bewies, unmittelbar auf die Reise zurückgeht oder auf die gleichzeitige allgemeine Enttäuschung darüber, daß der Krieg in Italien nicht die erhoffte Wirkung im Sinne der nationalen Einigung gebracht hatte, muß offen bleiben. Raabes politisches Interesse zeigte sich auch an seiner Beteiligung an der Wolfenbütteler Schiller-Feier 1859. Bei diesen Feiern, deren Anlaß der 100. Geburtstag des Dichters war, gab das freiheitlich und national gesinnte Bürgertum seinen Einheitswünschen zum erstenmal seit 1848 sichtbaren Ausdruck. Zu der Feier in Wolfenbüttel, die Raabes Freund Theodor Steinweg leitete [109] – sie hat ihren literarischen Niederschlag in *Der Dräumling* gefunden (1870/71) [110] –, steuerte Raabe ein Gedicht voll von nationalem Pathos bei.[111]

Kurz vorher hatte sich dasselbe Bürgertum im Deutschen Nationalverein (gegründet von Rudolf von Bennigsen im September 1859) seine Repräsentation geschaffen. Raabe trat am 26. Mai 1860 dem Verein bei und nahm an den Tagungen in Koburg im September 1860 [112] und im nächsten Jahr in Heidelberg teil. Drei Jahrzehnte später hat er die Koburger Tagung in *Gutmanns Reisen* [113] eingehend geschildert. Dabei benutzte er als Quelle bezeichnenderweise nicht nur sein Tagebuch, sondern auch die Protokolle der Tagung. Von Koburg aus unternahm er eine Reise durch Franken – Banz, Vierzehnheiligen, Bamberg, Nürnberg, Würzburg. Von da fuhr er nach Mainz und noch einmal rheinabwärts nach Köln, anschließend nach Minden.

Damals vollzog sich eine wichtige Veränderung in Raabes persönlichem Leben. Er verlobte sich im März 1861 mit Bertha Leiste. Die Braut entstammte einer angesehenen Wolfenbütteler Honoratiorenfamilie. Die Verbindung bestätigt das Ansehen, das der junge erfolgreiche Schriftsteller in der Heimatstadt erworben hatte, zeigt aber auch, daß er seine Zukunft für gesichert ansah. Zwar war die Braut nicht unvermögend, aber Raabe hat zeit seines Lebens die Mitgift seiner Frau als Sicherung für sie und die Kinder angesehen und seinen Stolz darein gesetzt, die Familie und sich nur von den Erträgnissen seiner Schriftstellerei zu erhalten. Unmittelbar nach der Hochzeit (24. Juli 1862) in der Kirche Beatae Mariae Virginis, der Hauptkirche in Wolfenbüttel, siedelte das junge Paar nach Stuttgart über. Das rege literarische Leben machte die Stadt anziehend für den jungen Autor, der seit seiner großen Reise die kleinstädtische Enge Wolfenbüttels stärker empfand.

Raabe ist niemals so produktiv gewesen wie in den sechs Jahren in Wolfenbüttel, in denen er fünf Romane und dreizehn Novellen schrieb. Dagegen entstanden in Stuttgart in acht Jahren vier Romane und zwölf Novellen, in Braunschweig in 28 Jahren 21 Romane (Erzählungen) und zehn Novellen. Manchmal arbeitete er in Wolfenbüttel an verschiedenen Werken gleichzeitig, zum Beispiel in den Jahren 1859 und 1860 an fünf verschiedenen Werken, zwei größeren Romanen und drei kleineren Novellen.[114] Er gab immer neuen Einfällen seiner künstlerischen Phantasie spontan nach und wurde noch dazu von seinen Verlegern angespornt.

Die Werke der Wolfenbütteler Zeit spielen zum Teil in der Gegenwart, aber zahlreicher sind jene, die ihren Stoff der Geschichte entnehmen. Sie alle und auch noch eine Reihe der späteren Werke sind Zeugnisse eines unermüdlichen Suchens nach der eigenen dichterischen Form, das sich in immer neuen Ansätzen manifestiert.

Die moderne Raabe-Forschung hat nachdrücklich darauf hingewiesen, daß Raabe in seinem ersten Werk sich einer künstlerischen Aussageform bedient, deren Höhe er lange Zeit nicht wieder erreicht hat und die die *Chronik* als Kunstwerk mehr zu den reifen Werken des späten Raabe stellt als zu den unmittelbar nachfolgenden. «Wenn es eine Ausnahme zu der Feststellung gibt, daß der frühere Raabe dem späten nachsteht, dann darf die *Sperlingsgasse* als eine solche betrachtet werden. Es wäre nicht allzu schwer zu zeigen, daß das Werk zu Raabes besten Büchern gehört.»[115] Er hat die eigentümliche Erzählform der *Chronik* als die ihm adäquate mit geradezu somnambuler Sicherheit ergriffen. Durch die Stilisierung, in der er den Entschluß zur Abfassung der *Chronik* als Berufung, als ein Ergriffenwerden von der Aufgabe darstellt, findet diese Sicherheit, die als überpersönlich empfunden wird, ihren Ausdruck. Sie hielt keineswegs an. Raabe gibt in den folgenden Werken die künstlerische Form der *Chronik* zunächst auf und versucht es mit dem damals herrschenden Romantypus, einer figurenreichen Handlung, die in der Zeit linear und kontinuierlich ablaufend erzählt wird. Damals wurde dieser im 19. Jahrhundert herrschende Typus vor allem durch Dickens vertreten. Raabes Versuche überzeugen weniger. Das zeigt besonders deutlich der zweite Roman *Ein Frühling* (1857) [116], vom Autor selbst später als *Gequadder* bezeichnet [117] und umgearbeitet, ohne dadurch zu gewinnen (1871). Mit Recht gilt heute die erste Fassung als maßgebend. *Die Kinder von Finkenrode* (1859), der erste der zahlreichen Heimkehrerromane Raabes [118], nehmen einen neuen Anlauf. Wenn auch einzelne Partien die erzählerische Begabung des Verfassers deutlich spüren lassen, zum Beispiel die Schlittenfahrt durch den winterlichen Wald [119], gelang auch dieser Roman nicht. Mit Recht tadelt Ludwig Thoma die Breite. «Das ganze Buch hätte mit fünfundzwanzig Seiten geschrieben sein können, und es wäre dieselbe Stimmung herausgeholt worden. Es hat aber zweihundertneunzig» (Stadelheimer Tagebuch, 19. Oktober 1906). Raabe selbst bezeugt dieses Nebeneinander von einzelnen geglückten Partien und unnötiger Breite 20 Jahre später in *Alte Nester*[120], indem er *Die Kinder von Finkenrode* ironisiert und zugleich große Partien zitiert. Und in dem dritten großen Gegenwartsroman dieser Epoche, den schon in die Stuttgarter Zeit hinübergreifenden *Die Leute aus dem Walde* (1863)[121], scheitert der Versuch, in der herkömmlichen Form und mit bewußtem Blick auf Goethes «Wilhelm Meister» einen Erziehungsroman zu schaffen.[122] *Das Buch ist noch ein recht jugendliches Produkt nach der alten Aquarellmanier, welche die Figuren erst mit schwarzer Tusche umriß und sie dann mit bunten Farben ausmalte. So scharf grenzen sich die Charaktere im Leben nicht ab und sollen es also auch in der Kunst nicht,* urteilt Raabe 30 Jahre später; er rechnet es zu den *Jugendsünden* und hält es nicht für *lesenswert*[123].

Zahlreicher als die Dichtungen, die in der Gegenwart spielen, sind die historischen Romane und Novellen. Sie entnehmen ihren Stoff einer Vergangenheit, die von der Reformationszeit bis unmittelbar nach den Befreiungskriegen reicht. Diese epische Gattung war damals sehr beliebt und hatte in allen Ländern namhafte Vertreter, von denen nur Alexis und Scott genannt seien. Raabe war hier sehr produktiv, und in diesen Erzählungen, deren Einheit entweder durch ein in sich geschlossenes Ereignis oder durch die Person, die im Mittelpunkt stand, fest gegeben war, hat er die Handhabung der künstlerischen Mittel geübt und entwickelt. Einige dieser Erzählungen berichten einfach ein interessantes und spannendes Ereignis der Vergangenheit, durch Erfindungen ausgeschmückt oder auf geschichtlichem Hintergrund ganz erfunden — so das früheste dieser Werke, *Der Student von Wittenberg* (1858)[124], der in seinen Anfängen bis in die Magdeburger Zeit zurückreicht, und der balladeske *Junker von Denow* (1859)[125]. Aber allmählich bevorzugt Raabe Erzählungen, die auf dem Hintergrund eines urkundlich gesicherten, den Quellen entnommenen geschichtlichen Geschehens zum Teil erfundene Personen in einer erfundenen Handlung vorführen. Sie entsprechen der Theorie Riehls, nach der «auf dem Grunde der Gesittungszustände einer gegebenen Zeit frei geformte Charaktere in ihren Leidenschaften und Konflikten» auftreten.[126]

Hier ist die Entwicklung deutlich sichtbar. *Die alte Universität* (1859)[127] erzählt quellengetreu die Wiedersehensfeier der früheren Universität Helmstedt 1822 und legt über diese Schilderung eine frei erfundene sentimentale Duell- und Liebesgeschichte, die in keinem inneren Zusammenhang mit dem geschichtlichen Hintergrund steht. *Die schwarze Galeere* (1861)[128] spielt während des niederländischen Freiheitskampfes gegen die Spanier und schildert den Überfall des Schiffes, das der Titel nennt, auf den Hafen von Antwerpen, aus dem es acht spanische Schiffe entführt. Wenn bei dieser Gelegenheit Jan Norris seine Braut Myga aus Antwerpen und aus spanischer Gewalt befreit, so ist die Parallele zwischen dem geschichtlichen Vorgang und der erfundenen Handlung deutlich.

Die Entwicklung erreicht ihren Abschluß in *Unseres Herrgotts Kanzlei* [129]. Den geschichtlichen Hintergrund liefern die Kämpfe, in denen Magdeburg 1550/51 gegen Kaiser, Reich und Fürsten die Glaubensfreiheit verteidigte. Ihn schildert Raabe in engem Anschluß an die zeitgenössischen Quellen, die er schon in Magdeburg studiert hatte. Die erfundene Handlung – auch hier das Motiv der Heimkehr – bildet die Rückkehr des verstoßenen Ratsherrnsohns Markus Horn in die Heimat. In entscheidender Stunde rettet er die Stadt, gewinnt die Geliebte und versöhnt den Vater. Zäh mit dem Stoff ringend – verschiedene Entwürfe beweisen es [130] –, hat der Dichter die Form geschaffen, die den geschichtlichen Zeithintergrund und die erfundene Romanhandlung im Gleichgewicht hält. Dabei wird die ungeordnete Masse der einzelnen geschichtlichen Vorgänge von der Handlung, die der Phantasie des Dichters entsprang, geordnet und in eine künstlerisch ausgewogene Form gebracht. Die Personen der Romanhandlung verkörpern die verschiedenen, einander entgegenwirkenden Kräfte, die um die Stadt und ihre Glaubensfreiheit ringen. Das Ergebnis ist die Einheit des Kunstwerkes, zu der die geschichtliche Tradition und die vom Dichter erdachte Handlung verschmelzen und die *Unseres Herrgotts Kanzlei* zum Höhepunkt der älteren historischen Erzählungen Raabes macht.

Unter den Wolfenbütteler Werken steht eines, das dem Inhalt nach den geschichtlichen Erzählungen zuzurechnen ist, für sich: *Nach dem großen Kriege* (1861) [131]. Diese *Geschichte in zwölf Briefen* ist ein Versuch Raabes, die künstlerische Form der *Chronik der Sperlingsgasse* wieder aufzunehmen, ein *Seitenstück* zu ihr, ein *Idyll in Art der Chronik* [132] zu schaffen. Es ist ein Briefroman; Goethes «Werther» steht Pate. Das Geschehen wird in zwölf Briefen des Kollaborators Wolkenjäger geschildert, der als Lützower Jäger in den Freiheitskriegen mitgekämpft hat und nun als Lehrer am Gymnasium der Harzstadt Sachsenhausen tätig ist. Das Hauptmotiv ist Wolkenjägers Liebe zu Ännchen von Rhoda, einem Findelkind, das 1809 ein Leutnant der Deutschen Legion in einer Schlacht in Spanien an sich genommen hat. Namen und Herkunft des Kindes sind unbekannt. Die Aufklärung erfolgt auf eine sehr romantische und phantastische Weise – die Liebenden finden sich.

Die Briefe sind von Gedichten umrahmt und von Gedichten durchsetzt; sie sind zwischen dem Mai 1816 und dem August 1817 datiert (Erzählzeit). Der Briefschreiber Wolkenjäger hat das Wort, sein Briefpartner und Freund Sever wird nur in den Briefen gespiegelt. Ebenso werden viele zurückliegende Ereignisse bis zum Dreißigjährigen Krieg hin durch Wolkenjägers Darstellung vermittelt – Episoden der Befreiungskriege, der napoleonischen Kriege, der braunschweigischen Geschichte und der des Harzes, dazu der Geschichte des Geschlechts derer von Rhoda (erzählte Zeit). Aus Rückblenden und Überschneidungen ergibt sich ein häufiger Wechsel der Zeiten. Wie in der *Chronik* wird die Struktur der Erzählung durch die Perspektivität des Erzählens bestimmt. Nicht die Ereignisse, sondern ihre Spie-

«Unseres Herrgotts Kanzlei». Zeichnung von Raabe

gelung im Bewußtsein des Briefschreibers ist das Entscheidende. Vergangenheit wie Gegenwart werden reflektiert durch die Personalität Wolkenjägers und auch Severs, der, von der Reaktion nach den Befreiungskriegen angewidert, nach Italien gegangen ist. Wenn dem kühnen Versuch, zur eigenen Form hinzufinden, kein rechter Erfolg beschieden ist, so hat das verschiedene Gründe. Die Form des Briefromans ist nicht konsequent durchgeführt; sie nimmt vielmehr im neunten Brief die Form eines Tagebuches an, das mehr als ein Drittel des Ganzen füllt. Im Gegensatz zur *Chronik* fehlt der geschlossene Raum, der das Gegengewicht zur Vielschichtigkeit der Zeit bilden könnte. Wohl spielen sich alle Vorgänge im Harz ab, aber dieser ist nicht als fest umgrenzter Raum gesehen, sondern wird in die Stimmung der romantischen Waldeinsamkeit aufgelöst und kann daher den zeitlich vielschichtigen Vorgängen keinen räumlichen Halt geben.

57

Stuttgart, um 1860

Nach dem großen Kriege bedeutet in manchem einen großen Schritt vorwärts, vor allem in der Behandlung der Zeit. Zum erstenmal werden hier, wie es Raabe in den reifen Werken immer wieder tut, die zeitlichen Grenzen verwischt bis zur völligen Aufhebung[133], zumal die erzählte Zeit sich auch nach der Zukunft hin öffnet. Aber die zukunftsträchtigen Ansätze des Werkes bleiben vereinzelt und wachsen nicht zu einer neuen, einheitlichen Form zusammen. Dennoch ist in Raabes Ringen um eine ihm gemäße Form der künstlerischen Aussage dieser Rückgriff auf die Form der *Chronik* wichtig. Trotz aller Schwächen bedeutet er unter den Werken der Wolfenbütteler Zeit den einzigen sicheren Hinweis auf eine kommende Entwicklung.

STUTTGART

Als Raabe 1862 mit seiner jungen Frau nach Stuttgart zog[134], zählte die Stadt etwa 60 000 Einwohner. Raabe erlebte bis 1870 ihr Anwachsen auf 70 000 Einwohner. Die Stadt beherbergte 56 Buchhandlungen, 21 Buchdruckereien, 28 graphische Anstalten. 55 Zeitschriften erschienen in Stuttgart, das für Süddeutschland die gleiche literarisch führende Stellung innehatte wie Leipzig im Norden. Trotzdem wahrte die in Weinberge eingebettete, in einem *Reben- und Waldkessel* liegende Stadt ländlichen Charakter. Im Jahre 1862 wurde verboten, Schweine vor dem Haus auf der Straße zu schlachten, was bis dahin in jedem wohlhabenden Haushalt üblich war. Die literarische Bedeutung der Stadt ebenso wie die freundliche Aufnahme, die Raabe auf seinen Reisen im Kreise der Schriftsteller gefunden hatte, waren Anlaß für die Übersiedlung. Raabe wohnte zuerst in der Gymnasiumstraße 13, von 1864 an in der Hermannstraße 11. Seine Hoffnungen, die er auf den neuen Wohnort setzte, wurden nicht enttäuscht. Bald entwickelte sich ein lebhafter Verkehr mit den Berufsgenossen. Ihre Namen sind heute meist vergessen. Es seien nur genannt Friedrich Notter [135], Übersetzer Dantes und Biograph Uhlands, und der Lyriker und Jurist Karl Schönhardt. Beide blieben mit Raabe auch nach dem Abschied von Stuttgart in Verbindung, ebenso wie Edmund Höfer, über den Raabe 1867 eigens einen Aufsatz schrieb.[136] Notter, dem er auch politisch nahestand, hat er ebenfalls ein Denkmal gesetzt, in dem zugleich seine eigene unpathetische Lebensauffassung deutlich wird. ... *der Geschichtschreiber hatte einen lieben alten Freund ... der ein großer Dantekenner und -verehrer war und den er dann und wann besuchte, um mit ihm deutsche Kulturgeschichte zu bereden und vor allem, als die Zeit gekommen war, mit ihm seine Freude an den Ereignissen des Jahres achtzehnhundertsechsundsechzig zu haben. Diesen teuren, greisen Freund*

Blick aus dem Arbeitszimmer in der Hermannstraße.
Zeichnung von Raabe, 1864

Wilhelm Raabe, 1863. Zeichnung eines unbekannten Mitglieds des
«Bergwerks». Unterschrift und Datum von Raabe

traf er ... eines Tages in erklecklichster Aufregung in seinem Stu-
dierstübchen hin und her schreitend, während seine Kolossalbüste des
großen Florentiners mit der bekannten aus der Hölle stammenden
Verdrießlichkeit ihm dabei zusah. – «Was haben Sie denn? Was ist
denn vorgefallen? Um Gottes willen, beruhigen Sie –» «Was ich
habe? Was vorgefallen ist? Denken Sie sich, Verehrtester! Kommt
vor zwei Stunden der und der – vielleicht sind Sie ihm noch in der
Gasse begegnet –, fragt, ob ich einen Augenblick Zeit habe – ich habe
jedenfalls genug, um ihn aufzufordern, den Hut abzulegen, und er

tut's und – stülpt seinen Hut meinem Dante – meinem Dante da auf – setzt sich fest – liest mir, m i r zwei Stunden lang aus seinem neuesten lyrischen Epos vor – immer mit seinem Hute auf meinem Dante, auf meinem Dante da! Und ich – Sie kennen mich – ich habe die Entwürdigung zwei Stunden in mich hineinzufressen und zu des Menschen läppischen Trochäen zu lächeln und höflichen Beifall zu murmeln. Setzt seinen Hut meinem Dante Alighieri auf! Können Sie sich das zweistündige, innerliche, hülflose Kochen in mir vorstellen? ... sitzen Sie einmal zwei volle Stunden vor solchem Ärgernis ... Stülpt seinen trivialen Filz – dieser Mensch – während er in seiner Brusttasche nach seinem Manuskript greift – stülpt seinen Hut meinem Dante auf, meinem Dante schief auf die ewige Marmorstirn ...!»[137]

Zu Raabes Bekannten gehörten ferner der Ästhetiker Friedrich Theodor Vischer, der schon vom jungen Raabe verehrte Ferdinand Freiligrath und Hermann Kurz, der manchmal von Tübingen herüberkam, für Raabe *jedesmal ein Fest*. Mit Eduard Mörike, der damals in Stuttgart lebte, kam es zu keiner Berührung. Dieser *führte ein so hypochondrisch-zurückgezogenes Leben, daß ... nur älteste s c h w ä b i s c h e Freunde in vertrautem Verkehr mit ihm waren* [138]. Er würdigt ihn in demselben Brief als *den großen Dichter, den wundervollen Lyriker*, aber er war ihm zu weich. *Sehr gemocht habe ich ihn nicht, offen gesagt ... Ein zarter Mensch, und ein bißchen weich gegen sich selber.*[139] Es ist offenbar ein ähnlich großer Gegensatz der Charaktere, wie er auch zwischen Raabe und Storm bestand.[140] Vielleicht ist die Ablehnung so scharf, weil Raabe in Mörikes «Weichheit» eine Möglichkeit erkannte, die ihm selbst nicht fremd war, die er aber in sich bekämpfte.

In diesen Bekanntenkreis wuchs Raabe allmählich hinein. Gleich zu Anfang der Stuttgarter Zeit trat er der «Museumsgesellschaft» bei. Die tägliche Lektüre der Zeitungen und Zeitschriften betrachtete er als eine Aufgabe, die zu seinem Beruf gehörte; er erfüllte sie im Stuttgarter Museum ebenso sorgfältig wie später in Braunschweig im «Großen Club». Wie in Wolfenbüttel besuchte er, jetzt mit seiner Frau, wenigstens in den ersten Stuttgarter Jahren eifrig das Theater, Oper und Schauspiel, ebenso Konzerte, in denen sie in erster Linie Beethoven und Schubert hörten. Der weitere Bekanntenkreis traf sich zwanglos im «Kaffee Rheinsberg». Ein engerer Kreis kam zweimal monatlich in den Wohnungen der Mitglieder zusammen – das «Sonntagskränzchen», an dessen Sitzungen aber nur Männer teilnahmen. Die meisten Angehörigen des Kreises waren auch Mitglieder des «Bergwerks». Dies war eine Vereinigung von Schriftstellern, Künstlern und Gelehrten, deren regelmäßige Zusammenkünfte humorvoll unter dem Sinnbild des Bergbaus gestaltet wurden. Raabe gehörte dem «Bergwerk» 1863 bis 1865 an. Grund des Austritts war nicht, daß ihm «der etwas gequälte Humor» bald «zuviel wurde»; vielmehr waren Meinungsverschiedenheiten über die Organisation der Anlaß, und die Verbindung riß bis zu Raabes Wegzug aus

Stuttgart nicht ab. Die Zugehörigkeit zu solchen Vereinigungen und Stammtischen, der spätbürgerlichen Form des Männerbundes, gehörte hier wie später in Braunschweig als ein wesentlicher Bestandteil zu Raabes äußerer Lebensform.

Zu diesem ständigen Verkehr kamen die häufigen Berührungen mit Personen, die Stuttgart vorübergehend besuchten und vielfache Anregungen brachten. Unter ihnen befand sich Paul Heyse (1866). *In Stuttgart sind in einem Jahr mehr Schriftsteller und Literaturfreunde durch mein Haus gegangen als in Braunschweig während der ganzen Zeit meines Aufenthaltes.*[141] Dazu kommt die Atmosphäre der großen, besuchten Stadt, die Residenz und Hauptstadt eines souveränen Staates war; in ihr hatten nicht nur Gesandtschaften anderer Mitglieder des deutschen Bundes ihren Sitz, wie Österreich, Preußen, Bayern, Baden, sondern auch die von Großbritannien, Frankreich und Rußland.

Die persönliche Lage Raabes war durch schriftstellerische Erfolge und durch das Glück der jungen Ehe bestimmt, das 1863 durch die Geburt der Tochter Margarete gekrönt wurde. So versteht man, daß Raabe sich in Stuttgart wohl fühlte. *Für mich als Schriftsteller wie als Mensch könnte ich jetzt in ganz Deutschland keinen besseren Aufenthaltsort finden*, schreibt er 1863 an die Mutter [142], und nicht lange vor seinem Tode noch urteilt er: *Es war doch mit meine glücklichste Lebenszeit. Das Jahr 1866 hatte alle meine politischen Wünsche erfüllt, meine Frau war noch jung, mein Kind gesund und mit dem Geldbeutel stand's ausnahmsweise auch einmal nicht ganz übel; was wollte ich mehr von der Welt?* [143]

Die Verbindung mit der Heimat blieb gewahrt. Briefe gingen hin und her, und Besuch von zu Hause stellte sich mehrfach ein, darunter die Mutter und die Schwiegermutter. Zweimal reiste Raabe mit seiner Familie nach Norden. 1864 ging es nach Wolfenbüttel, und von dort aus machte Raabe mit seiner Frau eine neuntägige Reise nach Lübeck, Hamburg und Kiel.[144] 1867 fuhr die Familie über Kassel durch die alte Weserheimat nach Wolfenbüttel und Braunschweig, um nach einem Abstecher in den Harz auf Sylt längeren Aufenthalt zu nehmen.

Aber es fehlte auch nicht an Schwierigkeiten. Sie ergaben sich vor allem aus den politischen Verhältnissen. Als es nach dem Schleswig-Holsteinischen Kriege 1864 zum Konflikt zwischen Preußen und Österreich und zum Krieg um die Führung in Deutschland kam, stand Württemberg mit dem Deutschen Bund auf der Seite Österreichs. So gab es in Stuttgart heftige Auseinandersetzungen zwischen den Kleindeutschen, die eine Einigung Deutschlands unter Führung Preußens, und den Großdeutschen, die sie unter Österreich erhofften. Die Gegensätze reichten bis zum Abbruch der gesellschaftlichen Beziehungen. Raabe war überzeugter Kleindeutscher und Anhänger der preußischen Politik Bismarcks; die *Konfliktszeit* hatte ihn zum *Realpolitiker* gemacht.[145] Er sah sich isoliert, verdächtigt, zeitweilig sogar mit Ausweisung bedroht, seine Frau wurde als «Preußenkopp» insultiert. Von den schriftstellerischen Freunden teilte eigentlich nur Notter seine Ansichten.

In dieser Situation entstand die wichtigste aller Verbindungen, die Raabe in Stuttgart knüpfte – die mit dem Ehepaar Marie und Wilhelm Jensen; die Freundschaft schloß auch Frau Raabe ein. Jensen, gebürtiger Holsteiner (1837–1911), war einer der erfolgreichsten Romanciers und Lyriker seiner Generation. In jüngeren Jahren als Journalist tätig, war er mit seiner acht Jahre jüngeren Gattin 1865 nach Stuttgart gekommen. Die erste Begegnung der beiden Ehepaare fand am 20. Januar 1866 statt [146], aber nähere Berührung brachte erst die Politik. Als Redakteur der «Schwäbischen Volkszeitung» vertrat Jensen den kleindeutschen Standpunkt. Nach dem preußischen Sieg bei Königgrätz am 3. Juli 1866 brachen die Gegensätze in Stuttgart noch heftiger aus, und in einer Versammlung – entweder am 12. Juli oder am 7. August – wurden Raabe und Jensen von politischen Gegnern hinausgeworfen und *fielen sich buchstäblich in die Arme* [147]. Mit einem *Besuch bei Dr. Wilhelm Jensen und Frau, Forststraße* [148] beginnt dann ein reger Verkehr, der sich im Laufe

Raabe mit seiner ältesten Tochter.
Selbstkarikatur Raabes aus einem Brief an die Mutter

des Jahres 1867 zum vertrauten Familienverkehr vertieft. Jeden Mittwoch traf man sich bei Raabes oder Jensens zum Abendbrot. Gemeinsame Ausflüge und Wanderungen wurden unternommen, oft improvisiert, Bücher zur Lektüre ausgetauscht, Billets wanderten hin und her.

Eine wichtige Grundlage der Freundschaft war das neidlose Verständnis, das beide Jensens dem Dichter Raabe entgegenbrachten. Jensen, der erst in den Anfängen einer erfolgreichen schriftstellerischen Laufbahn stand, ist sich der Überlegenheit des älteren Freundes immer bewußt geblieben [149] und hat sich stets für dessen Werke eingesetzt. Auch Raabe sah den Abstand: *Mir gefallen Deine Sachen ausgezeichnet, lieber Freund, ob sie aber nach fünf Jahren Dir auch*

Düsternbrook. Zeichnung von Raabe, 1864

Wilhelm Jensen

noch so gefallen werden, das ist die Frage. Du schreibst gut; aber du läßt bis jetzt noch nicht Deine eigenen Figuren tanzen. Du beneidenswerter Gesell hast Dich eigentlich viel zu vergnügt und sorgenlos in der Welt umhergetrieben, und hast deshalb bis dato nur Dein Vergnügen an den Dingen (sowohl nach der dunkeln wie nach der hellen Seite hin) zu Papier gebracht; aber noch nicht die Dinge selbst.[150]

Ebenso wichtig wie die Freundschaft mit Wilhelm Jensen war für Raabe die mit Frau Marie Jensen. Sie war eine schöne Frau. Aus einer Wiener Literatenfamilie stammend, war sie interessiert und belesen – sie weckte erneut Raabes Interesse für Heine. Auch als Malerin bewies sie Talent. Das regte auch Raabes Betätigung auf diesem Gebiet wieder an. Heiter und immer zum Scherzen aufgelegt, mit dem Charme der Wienerin, war sie eine geistreiche, am kulturellen Leben der Zeit nicht nur rezeptiv teilnehmende Frau – ein Typus, der damals verhältnismäßig selten war und von allem abwich, was Raabe in seiner Welt bisher an Frauen kennengelernt hatte.

Man hat die Beziehungen zwischen Marie Jensen und Raabe mehrfach im Sinne einer Romanze zwischen beiden erörtert.[151] Sicher ist, daß Raabe Frau Jensen verehrt hat und vielleicht mehr noch sie ihn, der damals auch äußerlich eine eindrucksvolle Erscheinung war. Jensen beschreibt ihn: «Lang und schmächtig, Wangen und Kinn des mageren Gesichtes von kurzem dünnem Bartgeflock umgeben und gleichartig der Schnurrbart über der Lippe. Der Mund besaß einen, wie es schien, an leichtes Lächeln gewöhnten Ausdruck, in dem der Augen mochte auf den ersten Hinblick nichts Absonderes liegen, nur erregten sie unwillkürlich die Empfindung, aus eigenem Antrieb, gleichsam auftraglos, Alles um sie her, jeden Gegenstand auch von unbedeutendster Art in sich aufzunehmen.»[152] Dieses Suchen und Forschen der Augen wurde noch durch den Gebrauch einer Lorgnette unterstrichen. Die Augen müssen einen besonders starken Eindruck gemacht haben. Marie Jensen bezeichnet sie mehrfach mit Storms

65

Marie Jensen

Worten als «die goldnen Augen der Waldeskönigin»; und noch
1880 nannte eine Freiburger Dame, die ihn bei Jensens kennenlernte,
den Fünfzigjährigen mit seinen hellen Augen und dem dunklen Haar
eine «wahre Teufelsschönheit».

Aber beide Paare lebten in glücklicher, von Kindern gesegneter
Ehe, der Freundschaftsbund umfaßte alle vier Partner, und was an
gelegentlichen Mißstimmungen bei Frau Raabe aus dem Tagebuch zu
entnehmen ist, geht kaum über das hinaus, was auch in der glück-
lichsten Ehe unvermeidlich ist. Vielmehr ist bemerkenswert, daß entgegen allen pikanten Vermutungen [153] ein unmittelbarer Widerhall

der Freundschaft des Dichters mit Marie Jensen in Raabes Werk ebensowenig festzustellen ist wie überhaupt Rückschlüsse von Raabes Frauengestalten auf subjektive Erlebnisse über ganz allgemeine Vermutungen nicht hinauskommen.[154] Was aus Raabes persönlichem Erleben in sein Werk drang, ist so vollkommen darin eingeschmolzen, daß es nicht isoliert und herausgehoben werden kann.

Der enge, fast tägliche Verkehr der Familien Raabe und Jensen dauerte nur zwei Jahre. 1868 übernahm Jensen den Posten eines Redakteurs in Flensburg, und am 10. Dezember verließ das Ehepaar

Albumblatt von Raabe

Stuttgart. Von da an haben die beiden Familien nicht wieder an demselben Ort gewohnt, aber der Briefwechsel dauerte bis zu Raabes Tod, und mehrfache Besuche und Treffen erneuerten den Kontakt, wobei nur eine gemeinsame Reise 1869 in die Schweiz und an den Bodensee, Raabes Besuch bei Jensens in Freiburg i. B. 1880 und ein kurzes Treffen in Celle 1886 hervorgehoben seien.[155]

Jensens Fortgang von Stuttgart ließ ältere, bis 1865 zurückreichende Pläne Raabes wiederaufleben, die auf eine Rückkehr in die Heimat zielten und die er auch schon mit seiner Frau und seiner Mutter erörtert hatte.[156] Immerhin dauerte es noch fast zwei Jahre, bis der Entschluß zur Ausführung kam. Erst im Sommer 1870, kurz vor Ausbruch des Deutsch-Französischen Krieges, begann der Umzug, der mitten in die Mobilmachung hineinführte. Vorher hatte der Kreis der Stuttgarter Freunde und Kollegen mit einer Abschiedsfeier auf der Silberburg am 2. Juli 1870 dem Scheidenden Lebewohl gesagt.[157]

DIE WERKE DER STUTTGARTER ZEIT

So glücklich Raabe in der Rückschau die Stuttgarter Jahre erschienen, brachten doch auch sie manches persönliche Leid. Öfters meldete sich Krankheit, besonders das Asthma quälte ihn und machte es ihm wochenlang unmöglich, im Bett zu liegen. *Die schauerliche Gewißheit, daß das Elend vom vorigen Jahre wieder angefangen hat,* klagt er 1865.[158] 1868 plagte ihn ein Ohrenleiden. *Ich bin in meinem ganzen Leben noch nicht so vergrellt und lebensüberdrüssig gewesen wie jetzt.*[159] Im September 1864 fand die Sorge um die Gesundheit von Frau Raabe ihren Abschluß mit einer Totgeburt.

Auch in literarischer Hinsicht gingen nicht alle Hoffnungen in Erfüllung. Zunächst allerdings ließ alles sich gut an. *Wir . . . gehen mit einem erklecklichen Überschuß in das neue Jahr* (1864) *hinein.*[160] 1864 erhält Raabe von der Deutschen Schiller-Stiftung eine Ehrengabe von 300 Talern, und seine Schriften finden guten Absatz. *So ist denn in literarischer Hinsicht das Jahr 1864 ein ganz glückliches für mich gewesen; und ich fühle, daß ich, wenn ich gesund bleibe, noch ein paar ganz gute und lesbare Bücher schreiben werde.*[161] Und noch 1867 prophezeit er über *Abu Telfan*: *Ich hoffe, das Buch soll uns auf die Höhe unseres Rufes heben*[162], eine Hoffnung, die sich nicht erfüllen sollte.

Denn in Stuttgart vollzog sich eine wichtige Entwicklung. Raabe legte später den entscheidenden Einschnitt etwa in das Jahr 1864, in dem er *Drei Federn* (1865) sein *erstes selbständiges Werk* nannte[163] und den 1864 erschienenen *Hungerpastor* zu seinen *Kinderbüchern*[164] rechnete und zu dem ihm *abgestandenen Jugendquark*[165]. Als der Freund Glaser die neue Entwicklung sofort bemerkte, hat Raabe sie bestätigt und erläutert. Glaser schrieb über die während

Wilhelm Raabe. Gemälde von Marie Jensen

der Arbeit an *Abu Telfan* entstandene Novelle *Gedelöcke* [166], er habe sich «s. Z. zu sehr in den eigentümlichen Zauber der ‹Scheibenhart›, ‹Junker von Denow›, ‹Heiliger Born› u. s. w. eingelebt, um so ganz mit dieser neueren Gattung befriedigt zu sein – es fehlt die wehmütige Saite, die Dein junggeselliges Herz damals aufgezogen hatte». Raabe antwortete: *Deine Bemerkungen über die Veränderung, die in meiner Schriftsteller-Anschauungsweise allmählich sich vollzieht, erkenne ich als begründet an; – man wird eben älter und ich glaube meine mehr lyrische Periode glücklich hinter mir zu haben. So putze ich denn meine epische Rüstung und gedenke als deutscher Sitten-Schilderer noch einen guten Kampf zu kämpfen. Es ist viel Lüge in unserer Literatur, und ich werde auch für mein armes Teil nach*

Kräften das meinige dazu tun, sie heraus zu bringen; obgleich ich recht gut weiß, daß meine Lebensbehaglichkeit dabei nicht gewinnen wird.[167]

Dieser Wandel wird allerdings weniger in den drei großen Zeitromanen sichtbar, die den gewichtigsten Ertrag der Stuttgarter Jahre darstellen: *Der Hungerpastor* (1864)[168], *Abu Telfan oder Die Heimkehr vom Mondgebirge* (1867)[169] und *Der Schüdderump* (1869)[170]. Dessen Schlußsatz lautet: *Wir sind am Schlusse — und es war ein langer und mühseliger Weg von der Hungerpfarre zu Grunzenow an der Ostsee über Abu Telfan im Tumurkielande und im Schatten des Mondgebirges bis in dieses Siechenhaus zu Krodebeck am Fuße des alten germanischen Zauberberges.*[171] Auf Grund dieses Satzes faßt man gern nach Jensens Vorgang[172] diese drei Romane zur sogenannten «Trilogie» zusammen. Raabe selbst hat versichert, *dieser Zusammenhang bestehe nur für ihn und seinen Werdegang*[173]. Außerdem wird die Abfolge durch *Drei Federn* unterbrochen, vor deren Entstehung Raabe den entscheidenden Einschnitt in seiner Entwicklung legt. Trotzdem hat man versucht, in Analogie zu dieser «Stuttgarter Trilogie» eine zeitlich nicht einmal zusammenhängende «Braunschweiger Trilogie» zu erfinden[175], von anderen Zahlenspielereien ganz abgesehen.

Den drei genannten Werken ist gemeinsam, daß Raabe wie in früheren Romanen die Form des auktorial erzählten, figurenreichen, aus einheitlicher Perspektive linear verlaufenden Handlungsromans mit e i n e m zentralen Erzähler, das heißt die herrschende Romanform seiner Zeit festhält. An Dickens, speziell an «David Copperfield», knüpft denn auch deutlich *Der Hungerpastor* an, der unter dem Symbol des Hungers den Lebensweg zweier Jugendfreunde verfolgt. Der gute, positive, auf ideale Werte gerichtete Hunger führt den einen zu einem von *Arbeit und Liebe*[176] erfüllten Leben in der Stille einer kleinen Pfarre an der Ostseeküste, der schlechte, nach Geld und äußerer Macht strebende den anderen zu scheinbarem Erfolg, in dem er doch *verachtet von denen, welche ihn gebrauchten, verachtet von denen, gegen die er gebraucht wurde ... bürgerlich tot im furchtbarsten Sinne des Wortes*[177] war. Dieser leicht eingängliche, beruhigend harmonisierende, gefühlsreiche Roman, der viele Partien von echter dichterischer Schönheit aufweist, wurde neben der *Chronik* Raabes meistgelesenes Werk und hat fast ein Jahrhundert lang das allgemeine Urteil über den Dichter bestimmt. Erst in unseren Tagen setzt sich die Erkenntnis durch, daß die eigentliche Bedeutung Raabes in anderen, späteren Werken liegt.

Nach etwa einer halbjährigen Pause folgt auf den *Hungerpastor* die geschichtliche Novelle *Else von der Tanne* (1864)[178]. Auch in Stuttgart hat Raabe eine Reihe kürzerer historischer Erzählungen geschaffen. Unter ihnen finden sich mehrere, die den Charakter der früheren historischen Erzählungen noch festhalten, aber mit *Else von der Tanne* setzt etwas Neues ein. Die Erzählung spielt im Dreißigjährigen Krieg und handelt von dem schönen, unschuldigen Mädchen Else, die von ihrem Vater aus der Zerstörung Magdeburgs in die Einsamkeit des Harzes geborgen wird. Hier wird sie das Glück und der einzige Trost des Pfarrers Leutenbacher, der in einem halbzerstörten Harzdorf einer armen, vertierten Gemeinde das Wort Gottes auslegt. Und diese Gemeinde tötet «die Hexe» Else von der Tanne; sie stirbt während der Weihnachtsnacht. Leutenbacher stürzt von ihrem Totenbett in den Wald, wo er im Schneesturm umkommt. Das wird in mehrfacher Brechung erzählt. Die eigentliche Handlung umfaßt wenige Stunden, vom Beginn der Dämmerung bis Mitternacht des 24. Dezember 1648 (Erzählzeit). In diesen wenigen Stunden werden aber Ereignisse seit 1610 geschildert (erzählte Zeit), und zwar zum Teil als Gedanken und aus der Perspektive Leutenbachers, der sich an die Ankunft Elses und an ihr Heranwachsen erinnert, zum Teil vom Erzähler, der die Ereignisse, die zu Elses Tod führen, im eigenen Namen erzählt, aber auf einer von der Erzählzeit verschiedenen Zeitebene. Auch die Erzählzeit wird an einer Stelle nicht vom Erzähler gegeben, sondern als Empfindung Leutenbachers reflektiert. Nimmt man hinzu, daß innerhalb der verschiedenen Erzählschichten zeitliche Rückblenden erfolgen, so ergibt sich, daß *Else von der Tanne* ein komplexes Gebilde ist, in dem die Perspektivität des Erzählens entscheidende Bedeutung hat: die Ereignisse werden in mehrfacher Brechung und gegenseitiger Bezugnahme aufeinander unter immer neuen Blickpunkten erzählt. Zugleich hat sich gegenüber früheren historischen Erzählungen auch der Sinn dieser Erzählform geändert. *Else von der Tanne* bietet nicht mehr eine interessante erfundene Handlung auf historisch sicherem Hintergrund, sondern in der Darstellung eines Geschehens der geschichtlichen Vergangenheit – das hier fast vollständig erfunden ist – erfolgt eine Aussage über das menschliche Sein, die über den geschilderten Vorgang und die geschichtliche Zeit hinaus allgemeine Gültigkeit hat. Diese Aussage ist hier sehr pessimistisch. Der Tod ist *das Beste, was Gott zu geben hatte* und *es ist keine Rettung in der Welt vor der Welt* [179]. Diese Allgemeingültigkeit wird allerdings hier noch nicht wie in späteren geschichtlichen Erzählungen dadurch ausgedrückt, daß die erzählte Zeit nach hinten und vorn weit, unter Umständen bis zur Gegenwart, ausgedehnt wird. Die erzählte Zeit hält sich verhältnismäßig genau an ihre Grenzen. Die Allgemeingültigkeit der Aussage des geschichtlichen Vorgangs wird durch zahlreiche Bibelzitate, vor allem aus Propheten, ausgesprochen.

Daß Raabe tatsächlich hier eine neue Form und einen neuen Sinn der geschichtlichen Erzählung gefunden hat, beweisen die erhaltenen Entwürfe [180], vor allem der erste. Er ist ganz romantisch-sentimental, und der Schluß stammt deutlich von der Opernbühne, und zwar aus Gounods «Margarete». In mühseliger Arbeit, gedrückter Stimmung, mehrfach von Krankheit geplagt, hat Raabe diesen Entwurf gänzlich umgestaltet und zu der neuen Aussageform entwickelt. Die Schwere dieses Prozesses findet nicht nur in Bemerkungen des Tagebuchs, sondern auch auf den Rändern der Entwürfe Ausdruck, zum

Beispiel *Scriptum in miseriis*. Man wird darin weniger den Hinweis auf äußere Umstände zu sehen haben als den Ausdruck der Mühen, die es einen Künstler von der Sensibilität Raabes kostete, die neue Form zu erkämpfen. Es handelt sich nicht um biographische Äußerlichkeiten, sondern um die Geburtswehen einer neuen künstlerischen Ausdrucksform.

Noch während der Arbeit an *Else von der Tanne* begann Raabe die Niederschrift von *Drei Federn* (1865), einem Werk, das er bewußt *in dem Genre meiner ersten Arbeiten* schreibt und *welches sich in ziemlichen Sprüngen bewegt* [181]. Dem Inhalt nach ist es ein herkömmlicher Entwicklungs- und Erziehungsroman. Aber die Form zeigt stärkste Perspektivität des Erzählens; sie ist mit größter Folgerichtigkeit durchgeführt, da Raabe hier nur die Personen, von deren Blickpunkt aus das Geschehen geschildert wird, zu Worte kommen läßt, unter völligem Verzicht auf eine übergeordnete Erzählinstanz. Sechs Berichte von drei verschiedenen Verfassern sind unmittelbar nebeneinander gestellt. In ihnen stellen die Schreibenden sich selbst und ihre jeweiligen Erlebnisse dar. In dem ersten, 1829 datiert, berichtet der Notar Hahnenberg über die Erziehung, die er seinem Patenkind August Sonntag angedeihen ließ. Nach 30 Jahren fällt der Bericht August Sonntag und seiner jungen Frau in die Hände, und beide stellen nun die Vorgänge, die Hahnenberg geschildert hatte, jeweils aus ihrer Sicht dar. Beide schreiben je einen weiteren Beitrag, um die Lebensgeschichte August Sonntags weiterzuführen, und schließlich schreibt Hahnenberg 30 Jahre nach dem ersten Bericht noch einmal zusammenfassend über die ganzen Vorgänge. So bildet *Drei Federn* ein kompliziertes Geflecht von Erlebnisperspektiven und -deutungen. In ihnen allen zeigt sich das Geschehen, das nirgends so, wie es wirklich war, objektiv darzustellen versucht wird. Zum erstenmal seit der *Chronik der Sperlingsgasse* wird diese perspektivische Erzählweise mit äußerster Konsequenz unter völligem Verzicht auf einen übergeordneten Erzähler durchgeführt und anders als in *Else von der Tanne* auf eine Gegenwartshandlung angewendet.

Mit diesem Wandel der Erzählform geht etwas anderes zusammen: ungeschminkte Darstellung der Wirklichkeit, auch wenn sie leidvoll ist, tritt an die Stelle gefühlsmäßiger Überhöhung und Harmonisierung, die *Lüge in der Literatur* wird gemieden.

Aus den unmittelbar folgenden Werken sei noch die humoristisch-satirische historische Novelle *Die Gänse von Bützow* (1866) [182] als weiteres Beispiel perspektivistischer Schreibweise hervorgehoben. Sie spielt 1794/95 und schildert einen lächerlichen Aufruhr in einer mecklenburgischen Kleinstadt, bei dem es um das Recht geht, die Gänse frei weiden zu lassen. Das Ganze erscheint als Ich-Erzählung des pensionierten Rektors Eyring, der die Ereignisse selbst miterlebt, sich aber in bewußter Distanz gehalten hat. Aus dieser Distanz heraus berichtet er von immer wechselnden Standpunkten aus. Der wichtigste ist die Parallelsetzung der Vorgänge in Bützow mit den gleichzeitigen Ereignissen der Französischen Revolution, die bis zur Iden-

ABU TELFAN;

OR,

THE RETURN FROM THE MOUNTAINS OF THE MOON.

BY

WILHELM RAABE.

TRANSLATED FROM THE GERMAN BY

SOFIE DELFFS.

" If you knew what I know," said Mahomet, " you would weep much and laugh little."

IN THREE VOLUMES.
VOL. I.

LONDON:
CHAPMAN AND HALL, LIMITED,
HENRIETTA STREET, COVENT GARDEN.
1882.

Titelblatt der englischen Übersetzung

tifizierung führt, so daß der Erzähler mühelos von dem einen Geschehen in das andere hinüberwechselt. Damit soll weder die Französische Revolution ironisiert noch der Bützower Gänsetumult zu einem Beispiel des Klassenkampfes gemacht werden. Aus einer Distanz, in der ihm *das Kleinste zum Größesten und das Größeste zum Kleinsten geworden* ist, sieht der Erzähler beides als vergleichbare, weil gleich charakteristische Erscheinungsformen der menschlichen Natur und des menschlichen Daseins. Weitere Perspektivierung wird erreicht, indem viele Einzelheiten durch eine Fülle von Anspielungen und Zitaten aus Geschichte und Literatur in immer neue Beleuch-

tungen gerückt werden. Diese Bestandteile einer reichen Bildungs-
tradition spiegeln wie kunstvoll geschliffene Facetten das Geschehen
von vielen Seiten, oft in ironischer Verfremdung. Dazu kommt die
sprachliche Atmosphäre einer parodistisch schillernden Diktion, die
archaisierend die Sprache der Zeit zu neuem Leben weckt und zugleich dieses in historischen Erzählungen – auch Raabes – beliebte
Stilmittel ironisiert. Diese Perspektivität des Erzählens wird nur dadurch möglich, daß der Erzähler sich der Verstrickung in die Klein-
heit der Ereignisse durch die Flucht in eine überlegene Distanz ent-
zieht. Sie deutet zukunftweisend auf jene späteren Gestalten Raabes,
die – wie zum Beispiel *Stopfkuchen* – in sicherer Selbstbehauptung
der Welt überlegen sind und der Kanaille den Fuß auf den Nak-
ken setzen.

Die in diesen Werken eroberten neuen Erzählformen bleiben nicht
ohne Wirkung auf den zweiten der großen Stuttgarter Romane.
Aber es ist charakteristisch, daß Raabe, aufs Ganze gesehen, wieder
an die Form des auktorial und linear erzählten epischen Romans
zurückgreift. *Abu Telfan* [183] schildert die Rückkehr Leonhard Hagebuchers, der mehr als zehn Jahre als Sklave tief im Innern Afri-
kas lebte, in die Heimat und seine Erlebnisse bei dieser Heimkehr in
die Welt der Honoratioren und der kleinen Residenz. Indem sich das
Leben in dieser Welt als nicht weniger unfrei erweist denn das Dasein in Afrika, wird sie ironisch in Frage gestellt. Während die Erzählung im allgemeinen geradlinig fortschreitet von der Ankunft Hagebuchers in Europa bis zur endgültigen Übernahme des väterlichen
Hausstandes und Nachlasses, werden doch wichtige Partien in Rück-
griffen gegeben, gespiegelt in der Erzählung der handelnden Personen. Das gilt von den afrikanischen Erlebnissen Hagebuchers, von
denen er seine Befreiung sogar zweimal berichtet, verschieden nach
den Zuhörern [184], von der Vorgeschichte Täubrich Paschas und der
des Leutnants Kind, die beide von ihnen selbst erzählt werden. [185]
Eine zweifache Perspektive auf dasselbe Ereignis ergibt sich aus den
Berichten des Major Wildberg und Täubrich Paschas über die Gesellschaft beim Polizeipräsidenten. [186] Das Grundthema des Buches ist
nicht das vielfältige Handlungsgeschehen in seiner Entwicklung von
Hagebuchers Heimkehr bis zum Schluß, sondern, wenn auch von der
fortlaufenden Handlung überdeckt, die Situation Hagebuchers, der
versucht, in die Zivilisation heimzukehren. Sie wiederholt sich in einer
Reihe von Gestalten – Frau Klaudine, Viktor Fehleisen, Nikola von
Einstein, Täubrich Pascha, Leutnant Kind –, die alle eine Sonderstellung gegenüber der Gesellschaft einnehmen und wie Hagebucher
die Anpassung suchen. Dieses Streben führt bei allen zuletzt in
einen abgesonderten, engen Bezirk, bei Fehleisen und Kind in den
Tod, bei Klaudine und Nikola in eine Einsamkeit, die sich von der
des Todes kaum unterscheidet, bei Täubrich in den Blödsinn. Hagebuchers Entwicklung endet mit der radikalen Haltung eines Menschen,
der zu tief in die dunklen Tiefen des Lebens geblickt hat, um sich
noch wie andere harmlos an der Oberfläche des Daseins freuen zu

Illustration zum «Schüdderump» von Raabe

können, der den Glauben der anderen Menschen an ihr Spielzeug verloren hat.[187] Äußerlich mündet diese Haltung in das Philisterium.

Diese Struktur, eine lineare Handlung, die Situationen überlagert, die sich gegenseitig erhellen und entscheidende Teile der Aussage enthalten, macht die Eigentümlichkeit des *Abu Telfan* aus, und in der Schicht der Situationen lebt vieles von neu- oder wiedergewonnenen Aussageformen weiter. Mit den unmittelbar vorangehenden Werken teilt der *Abu Telfan* auch die ungeschminkte Aussage über die Wirklichkeit des menschlichen Lebens, das leidvoll ist und ein unausweichlicher Kampf, den es ohne Hoffnung auf einen wirklichen Sieg zu bestehen gilt. Dieser «heroische Pessimismus», in dem «Lebensbejahung und illusionslose Hellsichtigkeit sich die Waage halten»[188], ist die Grundhaltung des *Abu Telfan*.

In *Der Schüdderump*[189], dem letzten der großen Romane, kehrt Raabe noch einmal ganz zu dem handlungsreichen, linear erzählten Roman mit auktorialem, stark betontem Erzähler zurück. Rückblenden und zeitliche Überschneidungen finden sich wenig, hauptsächlich im Anfang zum Zweck der Exposition; auch erfolgt nur selten ein Wechsel der Perspektiven. Nur eine der Hauptpersonen, Dietrich Häußler, wird außer in der Schilderung des Erzählers im Urteil verschiedener Personen verschiedener Herkunft und Stellung gezeigt, in geringerem Maße auch seine Enkelin Antonie. Der Roman nimmt seinen Titel von einem mittelalterlichen Begräbniskarren, der in Pestzeiten für Massenbeerdigungen Verwendung fand und hier – in der Gestalt verschiedener Gefährte wiederkehrend – zum Symbol dafür wird, daß in der Welt, in der *die Canaille Herr ist und Herr bleibt* [190], *alles Liebliche und Schöne* vernichtet und verdorben werden muß. *Denn wenn das nicht so sein müßte, so möcht ich den wohl kennen, welcher das zustande brächte.* [191]

Den wahren Menschen, die sich von diesem Zwang freihalten und dieser Welt sich nicht fügen, bleibt als einziger Ausweg in die Freiheit nur der Tod. Das zeigt Raabe am Schicksal der Antonie Häußler. Als Waisenkind kommt sie aus dem Armenhaus eines Dorfes am Harzrand auf den Adelshof dieses Dorfes und wächst dort in der Erziehung zweier alter Bewohner des Hofes, die ganz idealen Welten verhaftet sind, zu einem schönen, reinen Mädchen heran. Dann kehrt ihr Großvater zurück. Der frühere Dorfbarbier Dietrich Häußler ist in Wien als Schieber und Kriegsgewinnler zum adligen Millionär aufgestiegen. Jetzt fordert er Antonie für sich, um sie in seiner Welt seinen Zwecken dienstbar zu machen. Daran zerbricht sie. In Häußler zeichnet Raabe, zum Teil mythisch überhöht, den Vertreter des bösen Prinzips [192], der *unter allen Gestalten und in allen Verhältnissen, in der Tiefe und in der Höhe seit vielen, vielen tausend Jahren den Sieg gewinnt. –– Und er war so zufrieden mit seinem Siege, wie er es seit Jahrtausenden stets ist; nämlich er zuckte die Achseln, da er die, welche ihm das Feld räumen mußten, nicht halten konnte.* [193] Der *Schüdderump* ist der letzte große, geradlinig erzählte Roman Raabes, den ein Erzähler vorträgt. Nur einmal noch, in *Unruhige Gäste*, hat der Autor auf diese Form zurückgegriffen. Die Übersiedlung nach Braunschweig ist ein wichtiger Einschnitt, der auch künstlerisch zu neuen Ansätzen führt.

BRAUNSCHWEIG

Als Raabe am 17. Juli 1870 mit seiner Familie Stuttgart zur Übersiedlung nach Braunschweig verließ, führte die Reise mitten in die Mobilmachung für den Deutsch-Französischen Krieg hinein. Sie ging über *Nürnberg, Eisenach, Cassel* [194], wo jeweils *Nachtquartiere* genommen wurden, mit Verspätungen durch die vielen Truppenzüge. Immerhin wurde ein ganzer Tag an die Besichtigung von Nürnberg gewandt und in Kassel in *der Au die Industrieausstellung* besucht. Die Kriegsbegeisterung machte tiefen Eindruck auf Raabe. *Am Schalter: «Nicht zanken, wir sind jetzt alle Brüder»*, notiert er in Nürnberg. [195] *Die große Aufregung der Zeit hat uns doch ... über dieselben Unannehmlichkeiten* (der Reise) *leichter hinweggeholfen. Der Juli 1870 wird mir immer wie ein Traum erscheinen.* [196] *Die ernste*

Ruhe, mit der sich alles dem einen großen Zweck und Ziel zuwendet, ist wahrlich schauerlich schön! [197]

Am 21. Juli wurde dann Braunschweig erreicht. Da die gemietete Wohnung erst Ende September frei wurde, zog die Familie zunächst zu Frau Raabes Mutter in den Johannishof, einen mittelalterlichen Gebäudekomplex in der Stadt, der nicht lange danach abgerissen wurde. Er mußte dem Neubau der Post und einem neuen Straßendurchbruch weichen. Raabe beschreibt den Johannishof unter dem Decknamen *Cyriacihof* in *Meister Autor* [198]: *Die alte Stadt besitzt innerhalb der Umflutungsgräben ihrer jetzt zu recht anmutigen Spaziergängen eingerichteten Wälle ... mancherlei kuriose Winkel, dunkle Sackgassen, finstere Höfe und Torbogen; und das Mittelalter schielt einen hier grimmig, dort drollig, doch immer überquer aus mancher Ecke, von manchem Gesims, Balkenkopf, Giebel und Erker an. Holzstecher- und Steinmetzarbeit der Vorväter, hat ... sich ... gegen Axt, Spitzhaue, Hammer, Maurerkelle und Tüncherpinsel gewehrt ... Was jene ... in die Häusermassen eingekeilten Höfe anbetrifft, so ist das ... ein schier noch unaufgeschlossenes Reich der Wunder für den Kenner und Liebhaber ... Innerhalb einer der hundert eingeweideartig ineinander geschlungenen und gewundenen Gassen der Stadt fand ich mich vor einem schwarzen, verwitterten und weiter verwitternden Torbogen ... Das war noch Renaissance; aber die Wölbung durchschreitend, fand ich mich nicht im neunzehnten, nicht sechzehnten, sondern im vollsten, unverfälschten fünfzehnten Säkulo ... Altersschwarzer Holz- und Ziegelbau im unregelmäßigen Viereck um mich her! Und welch ein Holzbau! Da liefen sie, die Wände entlang, übereinander, nebeneinander hin, die Wunderwerke mittelalterlicher Zimmermannsarbeit in Ernst und Humor und warteten geduldig auf den Photographierapparat, und der grüne Baum neben dem ... Brunnen wartete mit ihnen ... ich trat in die nächste Tür (ein halbes Dutzend dergleichen führen vom Hofe in die Gebäude) ... Eine enge, steinerne, im Laufe der Jahrhunderte von Hunderttausenden von Füßen ausgetretene Treppe führte mich, sich im Halbkreise drehend, in den Unterstock im rechten Flügel der Hofgebäude, und zuerst in einen ziemlich breiten gewölbten Gang, der durch ein großes Bogenfenster im Westen erhellt wurde. Erhellt? Eine Flut von Licht, von abendlichem Sonnenschein, strömte in dieses große Fenster und vergoldete das dunkelgraue Gemäuer in eigentümlich schöner Weise. Eine dunkle Tür zur Linken lud zum Anpochen ein ...*

In dieser Umgebung verlebte Raabe die nächsten Wochen. In ihnen vollzogen sich die entscheidenden militärischen Ereignisse in Frankreich, die er aufmerksam verfolgte, zum Teil in merkwürdiger Verschlingung mit dem persönlichen Schicksal. *28. Juli ... nach 8 Uhr auf dem Bahnhof. Der Abmarsch der Braunschweiger nach dem Rhein ... 6. August: ... Zu Hause Elisabeth (Tochter) recht krank. Erbrechen, Durchfall. Angst und Gram. Um 10 Uhr der Volkslärm. Auf der Straße das Telegramm: Sieg des Kronprinzen bei Wörth über Mac Mahon. Gewitter und Platzregen. Wunderlich sorgenvolle*

77

und gehobene Nacht.[199] Aber der normale Tagesablauf erleidet kaum eine Unterbrechung. Wenige Tage nach der Ankunft, am 25. Juli, beginnt der regelmäßige Besuch des «Großen Clubs», in den Raabe am 1. September aufgenommen wird. Hier liest er, wie im Stuttgarter «Museum», regelmäßig Zeitungen und Zeitschriften – ein Teil seiner Berufsarbeit.

Nach einer zweiten Besichtigung der am Salzdahlumer Weg gemieteten Wohnung reist Raabe am 9. September für fast drei Wochen zu Jensens nach Flensburg, ein Besuch, der, durch schwere Asthmaanfälle belastet, doch gemeinsame Ausflüge nach Glücksburg, Kiel und Düppel bringt. Am 1. Oktober beginnt dann der Einzug in die neue Wohnung, der am 9. Oktober abgeschlossen ist; vom 18. Oktober an geht die älteste Tochter *Gretchen* zur «*Höheren Töchterschule*»[200], und damit ist die Etablierung der Familie in Braunschweig abgeschlossen. Die neue Wohnung Salzdahlumer Weg (heute Salzdahlumer Straße) 3 lag außerhalb der Wallanlagen, die die alte Stadt umschlossen, nach Süden, vor dem Augusttor, auf dem sogenannten Krähenfelde. «Neben einigen wenigen neuerbauten, zweistöckigen Gebäuden gab es in diesem Gartenviertel nur Grundstücke mit kleinen einfachen Häusern, einer Menge von Obstbäumen und vielen Blumen, die meistens noch von Hainbuchenhecken eingezäunt waren.»[201] Raabe bewohnte eines der zweistöckigen Häuser.

Die Anfänge der Braunschweiger Zeit waren nicht frei von Sorgen. Außer Krankheit in der Familie trat auch zeitweilig Geldknappheit ein, wohl eine Folge der Umzugs- und Einrichtungskosten. Die behelfsmäßige Unterbringung im Johannishof, die Reise nach Flensburg und der Umzug erzwangen eine für Raabe ungewohnte Unterbrechung der schriftstellerischen Produktion von mehreren Monaten.

Die Umwelt, in die Raabe in Braunschweig eintrat, war das Gegenteil dessen, was er in Stuttgart zurückgelassen hatte; aus einer anregenden, lebendigen Umgebung, in der und durch die er an den geistigen Bewegungen der Zeit teilhatte, sah er sich jetzt in einer ruhigen Stadt, zwar Residenz eines Kleinstaates, an der aber doch die Entwicklung zum guten Teil vorbeigegangen war und vorbeiging. Die Interessen der Einwohner waren überwiegend auf materielle Dinge gerichtet. Der eigentliche Mittelpunkt des kulturellen Lebens war das Hoftheater, vor allem die Oper. Aber Raabe stellte in Braunschweig den Theaterbesuch fast völlig ein, im Gegensatz zu seiner Frau und später auch zu den Töchtern; nur gelegentlich besuchte er mit seiner Frau noch Konzerte. Als Schriftsteller war er in der Stadt wenig bekannt und kaum beachtet. So durfte er sich mit Recht einsam fühlen. Mit einzelnen Stuttgarter Freunden blieb er in Verbindung, und manchmal fällt ein wehmütiger Blick auf die vergangene glückliche Zeit. Aber nichts gibt Grund für die Annahme, daß er die Übersiedlung nach Braunschweig jemals bereut oder versucht hätte, sie rückgängig zu machen. Unter dem Gesichtspunkt des Werkes hat er sie immer positiv gesehen. *Da hat Antäus seine «al-*

te Erde» wieder berührt.[202] So wird es doch wohl diese Einsamkeit gewesen sein, die er suchte im Interesse seines Werkes, und man darf in der Übersiedlung nach Braunschweig eine unpathetische Parallele zu dem Schritt sehen, der Nietzsche nach Sils-Maria führte.[203]

Dementsprechend verlaufen die Braunschweiger Jahre verhältnismäßig ereignisarm. Das Leben wird zum großen Teil von der Familie bestimmt. Nachdem noch in Stuttgart die zweite Tochter Elisabeth geboren war (17. Juni 1868), kam am 14. August 1872 die dritte Tochter Klara zur Welt. Ihr folgte am 19. Februar 1876 Gertrud, an der der Vater mit besonderer Liebe hing. Notizen über das Ergehen der Kinder kehren im Tagebuch regelmäßig wieder – über ihre Gesundheit, über ihre Entwicklung von den ersten Gehversuchen an, über den ersten Schulbesuch, über Fortschritte in der Schule bis zum Abschluß, über Tanzstunde und Teilnahme am geselligen Leben, zu dessen Pflege Raabe mit zwei anderen Familienvätern einen Klub gründete. Die älteste Tochter Margarete hatte das zeichnerische Talent des Vaters geerbt und wurde Malerin. Elisabeth heiratete den Marine-, später Militärarzt Paul Wasserfall (15. Januar 1895), Klara den Braunschweiger Oberlehrer (Studienrat) Gustav Behrens (24. Juli 1901). Am 1. November 1874 setzte der Tod der Mutter einen tiefen Lebenseinschnitt.[204] Die Erinnerung an diesen Tag hält das Tagebuch nun regelmäßig fest, ebenso das Datum des wohl noch schwereren Schlages, den der Tod der jüngsten Tochter Gertrud für Raabe bedeutete. Sie starb am 24. Juni 1892 an einer Meningitis, sechzehn Jahre alt. Der letzte Tod in der Familie, der Raabe tiefer berührte, war das Hinscheiden seiner Schwester Emilie, die unverheiratet geblieben war. Sie starb dreiviertel Jahr vor dem Bruder am 24. Januar 1910.

Unterbrechung in den regelmäßigen Ablauf des Alltags brachten die Reisen. Die sommerlichen Erholungsfahrten mit der Familie gingen meistens in den Harz, so 1873 und 1874 nach Bad Harzburg (Entstehung von *Zum wilden Mann* und *Frau Salome*), 1878 und 1880 nach Altenau. Ende der achtziger Jahre trat an die Stelle des Sommeraufenthalts ein fast täglicher Besuch des Harzes mit der Eisenbahn. Das war nicht die Folge beschränkter Mittel – die äußere Lage Raabes begann sich gerade damals zu bessern –, sondern die Folge besonders günstiger Fahrpreise, die diese Art täglicher Harzbesuche im Sommer damals in Braunschweig beliebt machten. 1902 führt die Ferienreise nach Borkum, 1907 nach Niendorf an die Ostsee. 1893 unternimmt Raabe mit seiner Familie eine größere Rundreise nach Süddeutschland, die bis nach Hallstatt führt, dem Schauplatz von *Keltische Knochen*. Nürnberg, München, wo die Tochter Margarete studiert, und Jensens Villa am Chiemsee waren wichtige Stationen. Auch andere Reisen Raabes dienten Besuchen bei oder Treffen mit Jensens, vor allem der Besuch in Freiburg im September 1880 – damals malte Marie Jensen zwei Bilder von Raabe – und das Treffen in Celle am 7. September 1886, das besonders harmonisch und beglückend verlief. *Wie froh bin ich,* schreibt Raabe anschließend an Marie Jensen, *daß ich vor meinem Eintritt in's Greisenalter, am Eingang in die richtige Torfgegend und Lüneburger-Heide-Stimmung des Daseins Dich noch einmal in Deiner Jugend erblickt habe, und über den trüben Grenzgraben die feste Gewißheit mitnehme: Die ändert sich nicht!* [205] Daneben stehen die Besuche bei Verwandten im Harz und in der Weserheimat und bei Wasserfalls in Wilhelmshaven, Minden und Rendsburg. Man sieht, Raabe ist nicht weit gereist, und ausländischen Boden hat er kaum betreten. Die seltenen Reisen nach Österreich (1859) und in die Schweiz (von Stuttgart aus mit Jensens nach Bregenz und in die Schweiz und von Freiburg aus mit ihnen nach Basel) blieben immer innerhalb des deutschen Sprachgebietes, und die verhältnismäßig geringe Zahl und geringe Ausdehnung der Reisen unterstreicht den Eindruck einer beabsichtigten Einkapselung.

In den vier Jahrzehnten der Braunschweiger Zeit hat Raabe mehrmals die Wohnung gewechselt, ein Vorgang, der ihm sehr widerstrebte und dem er sich gern durch Flucht entzog. Die letzte Wohnung in der Leonhardstraße 52/3 – heute Raabe-Gedenkstätte – bezog er 1901. Alle Wohnungen liegen nicht weit voneinander im südöstlichen Außenbezirk der Stadt. Es sind alles Mietwohnungen. Raabe hat nie nach einem eigenen Haus gestrebt, teils aus wirtschaftlichen Gründen, aber auch der allgemeinen Einstellung seiner Generation folgend. Diese scheute die Belastungen und Unbequemlichkeiten, die Besitz und Erhaltung eines Hauses über das Finanzielle hinaus mit sich bringen.

So fließt das äußere Leben Raabes in Braunschweig leise und fast ohne aufregende Ereignisse dahin. Am 9. bis 12. September fand in Braunschweig der deutsche Schriftstellertag statt. An den vorbereitenden Komiteesitzungen und der Tagung selbst nahm Raabe nur zurückhaltend teil; das Tagebuch vermerkt ausdrücklich *zum Eintritt* in den deutschen Schriftstellerverband *gezwungen*. Nach kurzer Mitgliedschaft trat er wieder aus. [206] Und als sich dann vom Ende der achtziger Jahre an größerer Erfolg zeigt, die Besuche – auch von auswärts – häufiger werden, die Post anwächst, ändert auch das an der äußeren Lebensführung wenig.

Vierzig Jahr später, im März seines Todesjahres, hat Raabe über den Anfang der Braunschweiger Zeit geurteilt: *Für das deutsche Volk war ich ... durchaus nicht mehr vorhanden. Vor kurzem von Stuttgart aus regem, auch literarischem Gesellschaftskreise nach Braunschweig übergesiedelt, saß ich hier völlig in der Einsamkeit ohne Freunde, ja auch ohne Bekannte – dem gebildeten, gelehrten und ungelehrtem Honoratiorentum höchstens ein absonderlicher und dazu etwas verunglückter «Romanschreiber».* [207] Das ist spätere Stilisierung und Ausdruck einer echten inneren Einsamkeit. Äußerlich traf es nicht zu. Denn Raabe fand bald persönlichen Verkehr, wenngleich andersgearteten als in Stuttgart. Der Bewohner des ersten Stocks seines Hauses, Hofschauspieler Schultes, ein gebürtiger Bayer, wartete den Antrittsbesuch Raabes gar nicht ab, sondern kam ihm

Ludwig Hänselmann

zuvor und besiegte Raabes Zurückhaltung, indem er sich durch den Besitz mehrerer von dessen Büchern auswies. Lachend soll Raabe seiner Frau gesagt haben: *Wahrhaftig, Bertha, das ist einer von den deutschen Narren, die nicht nur selbst Bücher schreiben, sondern sich auch welche kaufen, die andere geschrieben haben.*[208]

Durch Schultes wurde Raabe in den «Klub der Buern im Kreienfelde» – als Krähenfelder Bauer bezeichneten sich die Bewohner der Gegend – eingeführt, einem trinkfrohen Männerbund, der in seinen Sitzungen einen derben, vor Grobheiten nicht zurückschreckenden Humor pflegte. Als Beispiel seien die *individualistisch durchgebildeten kakophonischen Kunststücke* genannt, die der Komiker am Hoftheater Oskar Fischer zum besten gab und denen Raabe in *Horacker* ein Denkmal gesetzt hat: *Als Hund und Kutze im Kampfe werden Sie immer mustergültig bleiben. Ihre Leistungen als auf den Schwanz getretener Kater sind gradezu erschütternd ... Na, nächstens sollen Sie uns mal Ihre Bauerfrau, die ein Ferkel in einen Sack zwängt, vorführen ... haben Sie schon einmal meinen asthmatischen Mops, der auf Fräuleins Sofa tat, was nicht hübsch von ihm war, vernommen?*[209] Schultes führte Raabe hier ein, und er wurde als «Sperlingsbuer» aufgenommen. Da er kaum eine Zusammenkunft versäumte, scheint er sich hier wohl gefühlt zu haben. Hier lernte er auch den Stadtarchivar Ludwig Hänselmann kennen. Dieser brachte ihn wenig später zu den «Kleidersellern», an deren Zusammenkünften Raabe bald regelmäßig teilzunehmen begann.

Diese «Kleiderseller» waren ein Stammtisch. Der Name rührte daher, daß anläßlich der Tausendjahrfeier der Stadt Braunschweig im Jahre 1861 sich eine Reihe historisch interessierter Braunschweiger zusammengefunden hatte, um für ein Städtisches Museum interessante Kunstwerke, handwerkliche Erzeugnisse und geschichtlich bemerkenswerte Gegenstände in der Stadt aufzuspüren und zu sammeln. Scherzhaft bezeichneten sie sich wegen dieser Tätigkeit selbst mit einem ortsüblichen Ausdruck für Altwarenhändler und Trödler als Kleiderseller. Gegen Ende der sechziger Jahre trat das geschichtliche Interesse zurück; unter der alten Bezeichnung blieb ein zwangloser Stammtisch übrig. Diese Entwicklung war abgeschlossen, als Raabe durch Hänselmann eingeführt wurde. Aber gerade er sollte der Vereinigung zu besonderer Blüte verhelfen.

Diese auf Männer beschränkten, meist stammtischartigen Vereinigungen spielen in Raabes Leben eine große Rolle: In Wolfenbüttel der «Caffee», in Stuttgart das «Bergwerk» und das «Sonntagskränzchen», in Braunschweig die «Buern im Kreienfelde» und die «Kleiderseller», zu denen später noch der «Feuchte Pinsel», ein Künstlerklub, trat. Aber auch an den Abenden, an denen keine der genannten Vereinigungen zusammenkam, traf sich Raabe mit Freunden in irgendeiner Kneipe. In den letzten Lebensjahren waren Herbsts Weinstuben in der Friedrich-Wilhelm-Straße der Ort dieser regelmäßigen Zusammenkünfte, und es ist charakteristisch, daß auswärtige Besucher, die Raabe sehen wollten, ihn mindestens ebenso oft hier wie in seiner Wohnung aufsuchten. Man traf ihn bei Herbst. Das Tagebuch verzeichnet all diese Zusammenkünfte und die Teilnehmer sorgfältig, so daß der äußerliche Eindruck entsteht, als hätten sie Raabes Leben zum großen Teil ausgefüllt.

Mit dem Ende des Rokoko war die letzte einheitliche Gesellschaftsform, die sich über ganz Europa erstreckt hatte, zerbrochen. Die weitere Entwicklung ging in den verschiedenen Ländern verschiedene Wege. In Frankreich entstand aus der Französischen Revolution und dem napoleonischen Reich eine neue, bürgerliche Gesellschaft, die sich in den verschiedenen Revolutionen gegen die Reste des Feudalismus durchsetzte. In England verschmolz während der langen viktorianischen Ära der Adel mit der upper middle class zu einer neuen einheitlichen Gesellschaft. In Deutschland aber kam es nicht zu einer einheitlichen gesellschaftlichen Form der ganzen Nation. Der hoffnungsvolle Ansatz, den auf Grund des nationalen Erlebens der Freiheitskriege die Burschenschaft darstellte, wurde gewaltsam zerschlagen – eine Katastrophe, die Raabe immer zutiefst bedauert hat. Alte Burschenschafter treten ebenso wie alte Teilnehmer an den Befreiungskriegen häufig in seinen Werken auf. Der Versuch des Bürgertums, die nationale Einheit in demokratischen Formen zu schaffen, scheiterte 1848 und damit auch die hier vorhandene Möglichkeit zur Bildung einer bürgerlichen Gesellschaft. Und als ein Jahrzehnt später in den Schiller-Feiern und im Nationalverein das Bürgertum einen neuen Anlauf zur nationalen Einheit nahm, führte es nicht zum Ziel, sondern das deutsche Volk empfing die ersehnte Einheit aus den Händen Bismarcks und Preußens. Dementsprechend war das, was

Als
Meister Wilhelm Raabe,

alias (pudice nempe et reverenter)

JACOB CORVINUS,

in Gott vergnügt

durch die letzten Tage seines ersten Semisäclums schlurfte,

erhub sich hinterrücks

bei den löblichen Kleidersellern zu Braunschweig
ein Gemunkel,

welches

(zu ewiger Gedächtnuß

sowohl

der dabei ausgeschäumten sinnreichen Gedanken

als auch

des denkwürdigen Anlasses)

vermög' einhälligen dieses COLLOQVII Ent- und Beschlusses

summarie, in geliebter Kürze, soviel immer müglich auch reimweis, zu Papier

und also dem

JUBILARIO

und

preiswerthen sothanes RVMORIS Ursächer

auf den

8. SEPTEMBRIS ANNO 1881

zierlich dar-bringen

sollen

der löblichen Kleiderseller

ehrendienstwilliger

Chronikant.

All welches

sich schließlich im neuen Reich als eine Art Gesellschaft herausbildete, am Offizierskorps und der Beamtenschaft orientiert, die sich als Diener des Monarchen empfand. Daher die große gesellschaftliche Bedeutung des Reserveoffiziers. Auch die große soziale Umschichtung, die die Industrialisierung mit sich brachte, richtete sich nach diesen Leitbildern – mit Ausnahme der Arbeiterschaft, die für sich blieb.

Da es in Deutschland nicht zur Bildung einer einheitlichen Gesellschaft kam, gewannen statt dessen kleinste gesellschaftliche Gebilde großes Gewicht, und an die Stelle einer einheitlichen Gesellschaft trat das Nebeneinander unzähliger Salons, Klubs, Vereine, Stammtische, Logen usw. Sah sich etwa in Frankreich im ganzen 19. Jahrhundert der Schriftsteller von der Gesellschaft getragen, so mußte er in Deutschland in solchen kleinsten Kreisen Rückhalt suchen, ob es sich dabei nun um die Salons des Biedermeier handelte oder um literarische Vereinigungen wie «Der Tunnel unter der Spree» und das «Rütli» in Berlin, das «Krokodil» in München, «Der Engere» in Heidelberg oder um freundschaftliche Vereinigungen wie die, denen Raabe in Braunschweig angehörte.

Unter ihnen haben die «Kleiderseller» das größte Gewicht. Raabe hat sich einmal zu diesem Thema geäußert in einer Rede, bei der er den Freunden für die Feier seines 50. Geburtstags dankt (13. September 1881).[210] ... *eines weiß ich, daß ich immerdar seit mehr denn zehn Jahren mit jedem Körper- und Seelenteil zu dem eisernen Bestande dieses unseres wunderbaren Kleidersellertisches gehört habe und unbewegt über gute und böse Perioden, über Ebbe und Flut mit der unerschütterlichen Gewißheit: W i r   b l e i b e n! hingesehen habe.*

Ob wir heute zu zwanzig oder dreißig zu Tische sitzen, oder morgen zu drei – es ist gleichgültig: Wir sind da, Wir haben in Uns alles, was es möglich macht, dann und wann (in unserm besonderen Falle wenigstens alle Woche einmal!) einen gesunden Atemzug zu tun ... So muß es sein unter auserwählten Männern und wahren Menschen! ...

So wollen wir bleiben, wie wir sein müssen: bescheiden und frech, still und großschnauzig, kurz so bunt wie möglich.

Unter uns hat keiner vor dem andern etwas voraus. Was gelten uns Jahre? Kennen wir nicht! Wir sind alle eines Alters! – Schöne, höfliche, löbliche Eigenschaften? Wir wissen alle, wo uns der alte Adam zu enge ist und stellenweise aus den Nähten geht! – Was gehen uns Amt und Würden an? – Wir sind alle des nämlichen Ranges und wissen uns allesamt mit demselben buntscheckigen Fell überzogen! – Geld tut es garnicht unter uns! – Wir sind Leute, die frei durchgehen durch die Philisterwelt, und holen wir uns einmal einen von uns besonders heraus ... um ... das an ihm zu feiern, was man draußen im Philisterium ein Jubiläum nennt, so geschieht auch das immer sub specie aeternitatis, nämlich der Äternität der treuen, unverwüstlichen Genossenschaft der Kleiderseller zu Braunschweig, und er schließt mit dem Gedanken, daß *unter uns allewege jeder das Ganze darstellt und die Gesamtheit den einzelnen.*

Der «Grüne Jäger» bei Braunschweig

In Raabes Schilderung dieser «geselligen Vereinigung freier und denkender Männer deutscher Art»[211] wird ein charakteristisches Paradoxon deutlich: Unter Formen, wie sie im Philisterium des bürgerlichen Alltags üblich sind, lebt eine Gemeinschaft, die sich bewußt im Gegensatz zum Philisterium fühlt, die immer wieder innerlich sich über ihre äußere Form erhebt und im engen Kreise ein freies, aufrechtes, aus allen äußeren Fesseln und Unterschieden gelöstes Menschentum zu verwirklichen sucht, späte Erben der Ideale der deutschen Klassik und des Neuhumanismus, die in diesem Kreise nicht gepredigt, sondern gelebt wurden. Das gilt besonders für die eigentliche Blütezeit des Zirkels während der achtziger Jahre. Damals traf man sich nicht nur allwöchentlich in einem Lokal in der Stadt, sondern zog jeden Donnerstag hinaus zum «Grünen Jäger», einer Gastwirtschaft östlich von Braunschweig am Waldrand der Buchhorst. Hier war man völlig unter sich und gab sich oft bis tief in die Nacht hinein einer unkonventionellen Gemeinsamkeit und Freundschaft hin, deren tief beglückende Atmosphäre der Nachlebende nur aus gelegentlichen Äußerungen der Teilnehmer schwach zu ahnen vermag.

Von den Teilnehmern ist neben Raabe vor allem Ludwig Hänselmann zu nennen, Stadtarchivar in Braunschweig, der beste Erforscher und Kenner der Geschichte seiner Heimatstadt, in deren Ver-

Wilhelm Brandes

gangenheit, vor allem im ausgehenden Mittelalter, er fast mehr lebte als in seiner Gegenwart. Mit Raabe war er der eigentliche Mittelpunkt des Kreises, die «Hänselmutter» neben dem «Raabenvater». Von weiteren «Kleidersellern», die eine vielfache Mischung von Gelehrten und Beamten, Philologen, Juristen, Offizieren und Kaufleuten darstellten – der Beruf spielte keine Rolle –, seien noch genannt: Bernhard Abeken, zwar Rechtsanwalt, hauptsächlich aber Privatgelehrter, Redakteur und Schriftsteller, zeitweilig auch Abgeordneter im Reichstag; Heinrich Stegmann, Ingenieur, Verfasser von «Die fürstlich Braunschweigische Porzellanfabrik zu Fürstenberg», die für die Entstehung von Raabes *Hastenbeck* wichtig werden sollte.[212] Auch der Förster Bäbenroth und der Wirt Frick vom «Grünen Jäger» zählten zur Runde.

Von den jüngeren Mitgliedern muß vor allem Wilhelm Brandes erwähnt werden, zuletzt Gymnasialdirektor und Oberschulrat in Wolfenbüttel, einer der treuesten Anhänger und Interpreten Raabes, der wie kein zweiter sich zu des Dichters Lebzeiten und nach seinem Tode für ihn eingesetzt hat. Er versorgte als «Barde Brandanus» den Kreis mit Gedichten. Eine bedeutende Persönlichkeit war Theodor Steinweg. Er war der Sohn eines Tischlers und Pianofortefabrikanten, der nach den USA auswanderte und dort die Weltfirma Steinway and Sons gründete. Theodor blieb als Pianofortefabrikant in Deutschland. Schon in Wolfenbüttel hatte er mit Raabe Bekanntschaft geschlossen und neben ihm führend bei der Schiller-Feier 1859 gewirkt. Später rief ihn der Vater nach dem Tode zweier seiner Brüder nach Amerika. Er wurde Teilhaber der väterlichen Firma, fühlte sich aber in den USA nicht wohl, sondern kehrte nach Deutschland zurück, wo er in Hamburg ein Zweiggeschäft der väterlichen Firma errichtet hatte. Seinen Wohnsitz nahm er in Braunschweig. Er war der Mäzen des Kreises, den er gern mit amerikanischen Spezialitäten bewirtete und dem er den bibliophilen Druck seiner Gedichte ermöglichte. Er führte vielfach Künstler, die Braunschweig besuchten, bei den «Kleidersellern» ein, so wie auch Hänselmann öfters auswärtige Gelehrte mitbrachte.

Als markante Persönlichkeit trat Ulrich Kirchenpauer hervor. Der Sohn des bekannten Hamburger Bürgermeisters hatte den Beruf des Offiziers ergriffen, den er später aufgab, menschlich unbefriedigt vor allem von dem Verhältnis zwischen Vorgesetzten und Untergebenen. 1885 bis 1888 war er Bezirksadjutant in Braunschweig und schloß sich gleich den «Kleidersellern» an. Neben Raabe und Hänselmann, die er verehrte, wurde der zugleich temperamentvolle und herrische, melancholische und ausgelassene, faszinierend liebenswürdige, durch und durch vornehme Mensch und Idealist [213] für drei Jahre eine führende Figur der Vereinigung.

Mit Kirchenpauers Fortgang 1888 und dem Tode Steinwegs 1889 verschwand das großbürgerliche Element aus dem Sellerkreise – ein Verlust, für den sich kein Ersatz fand. Aber der schwerste Schlag traf den Kreis erst einige Jahre später. 1892 verlor Raabe seine jüngste Tochter Gertrud, die ihm besonders nahestand. Der Schmerz war so tief, daß Raabe es nicht mehr über sich gewann, den Weg zum «Grünen Jäger» zu machen, der an dem Friedhof mit dem frischen Grab vorbeiführte. Und als Brandes 1893 als Gymnasialdirektor nach Wolfenbüttel kam, entschloß man sich, die Zusammenkünfte außerhalb der Stadt auf dem «Großen Weghaus» in Klein-Stöckheim abzuhalten, auf dem schon Lessing und seine Braun-

Ulrich Kirchenpauer

schweiger Freunde zusammengekommen waren und wo in jüngeren Jahren Raabe und sein Freund Glaser sich oft getroffen hatten. Aber es zeigte sich, daß das nicht nur eine Ortsveränderung bedeutete. Der Wechsel von dem einsamen Haus am Waldesrand in eine besuchte Dorfwirtschaft, dazu Raabes lang anhaltende Trauer ließen den Geist, der die Zusammenkünfte im «Grünen Jäger» getragen hatte, nicht wiederkehren, und die «Kleiderseller» wurden wieder, was sie bei Raabes Hinzutreten gewesen waren: ein Stammtisch mit geistigem Niveau, der vor allem literarisch orientiert war.

Etwas anderes kam hinzu. So sehr Raabe – und das zeigen gerade die zuletzt geschilderten Vorgänge – der Mittelpunkt der «Kleiderseller» war, eine so geringe Rolle spielte sein Beruf als Schriftsteller. Auch hier sprach er so gut wie nie über seine eigentliche Tätigkeit. So wenig die Stadt, in der er lebte, ihn kannte – bei dem Schriftstellertag 1882 staunte ein heimisches Komiteemitglied: «Nun seh einer unseren Raabe an! Verkehrt da zwischen den großen Leuten, ganz, als wenn...!» –, so wenig war bei den «Kleidersellern» von seinen Werken die Rede. Er war nur «Genosse unter Mitgenossen»[214]. Nach dem 60. Geburtstag aber, während der neunziger Jahre, wuchs Raabes Erfolg, er wurde bekannt, und eben dadurch war er nun, auf dem «Weghaus» und bei Herbst, der Mittelpunkt eines Kreises, zu dem literarisch Interessierte aus der Stadt und auch von auswärts drängten – in einem ganz anderen Sinne, als er es während der siebziger und achtziger Jahre auf dem «Grünen Jäger» gewesen war, wo nicht sein Werk, sondern allein seine Persönlichkeit ihn in das Zentrum gerückt hatten. Hier zeigte sich jene gemeinschaftsbildende Ausstrahlung, die von ihm ausging, die sich auch bei anderen Gelegenheiten bewährte und eine wesentliche seiner Eigenschaften war.

Sie erscheint auch in der dritten derartigen Vereinigung, der Raabe in Braunschweig angehörte, in dem 1881 gegründeten Künstlerklub «Der Feuchte Pinsel»[215]. Raabes Wirkung war hier ähnlich wie bei den «Kleidersellern». Die Mitglieder waren überwiegend bildende Künstler – Architekten, Maler, Bildhauer. Raabe wurde 1882 oder 1883 eingeführt und entwickelte sich auch hier bald zur zentralen Gestalt des Klubs. Wie immer tat er sich nicht als lebhafter Plauderer hervor; er hörte vielmehr meistens gespannt zu, wobei er die einzelnen durch seine Lorgnette betrachtete. Hin und wieder warf er ein witziges Wort oder eine paradoxe Behauptung in die meist sehr lebhafte Debatte. In diesem Kreise stand ihm besonders nahe der Architekt Bohnsack, mit dem er in freundschaftlichem Neckton verkehrte. Mehrfach nahmen auch andere «Kleiderseller» an den Zusammenkünften teil, und verschiedene Geburtstage Raabes wurden von beiden Vereinigungen gemeinsam gefeiert. Raabes Werke wurden von den Mitgliedern des «Feuchten Pinsel» eifrig gelesen. Der Maler Leitzen hatte sie dem Verein gestiftet, und Raabes Zugehörigkeit zum «Feuchten Pinsel» fiel in die Zeit seines wachsenden Erfolges. Nach Raabes Tod ging es mit der Vereinigung

Wilhelm Raabe, 1890. Zeichnung von Bohnsack

bergab, aber immer erhob man sich bei den Zusammenkünften um Mitternacht, um auf sein Gedächtnis zu trinken. Es war die Stunde, zu der er den «Feuchten Pinsel» zu verlassen pflegte.

Diese zum Teil nur äußerlich philiströse Welt der Stammtische wird in ihrer Bedeutung unterschätzt, wenn man in ihr nur die «Maske des Stammtisch-Philisters» sieht, «die breite Schutzschicht, hinter deren Abschirmung er sich sein Alterswerk... zusammenschrieb»[216], oder wenn man meint, das Philiströse entspreche keineswegs Raabes innerer Natur, sondern sei Maske.[217]

Für Raabe, für sein Werk und für seine Wirkung bedeutet sie mehr. Gewiß hat er seinen Stammtischgenossen keinen Einblick in sein künstlerisches Schaffen gewährt, aber ebenso verhielt er sich

89

Karikatur von Bohnsack. Aquarell aus dem «Feuchten Pinsel».
Rechts unten: Raabe mit Lorgnette

gegenüber seiner Frau und seiner Familie. Wohl aber hat er diese Welt in sein Werk mit hineingenommen und ihr eine nicht unerhebliche Rolle zugeteilt. Die Beispiele solcher Stammtische, verschieden beurteilt, verschieden bewertet, kehren immer wieder. Während er in dieser Welt lebte, entwickelte er, von ihr nicht verstanden, ja, nicht einmal von ihr wahrgenommen, eine hochdifferenzierte, zukunftweisende dichterische Kunst. Seine Natur umfaßte beides: hochgezüchtete Artistik und das Philisterium der zweiten Hälfte des 19. Jahrhunderts, eine Doppelrolle, deren Spannweite für Raabe charakteristisch und in ihm von Beginn her angelegt ist. Sagt er doch schon 1861 in dem Brief, in dem er die *Menge Gegensätze* bescheinigt, die in ihm *stecken: Im gesellschaftlichen Leben wird niemand den Poeten in mir erkennen* und *Ich liebe einen Kreis guter Gesellen, eine gute Cigarre und wenn's sein muß einen guten Trunk.*[218]

Aber dieses Philisterium ist schon in sich selbst ambivalent. Die Gemeinschaften, denen Raabe angehörte, empfanden sich bei aller äußerlichen Ähnlichkeit als im Gegensatz zum Philistertum stehend, und Raabe sagt von sich selbst: *Ich habe den alten romantischen Schluchtruf: «Krieg den Philistern!» sehr ernst genommen.*[219] Dasselbe gilt von den Philistern in Raabes Werk. *Abu Telfan* enthält in der Familienkonferenz, die über die Zukunft des heimgekehrten Leonhard Hagebucher berät[220], eine vernichtende Satire auf das *germanische Spießbürgertum ... in seiner ganzen Staats- und Kommunalsteuer zahlenden, Kirchstuhl gemietet habenden, von der Polizei bewachten und von sämtlichen fürstlichen Behörden überwachten, gloriosen Sicherheit.* Aber in demselben Werk steht das große Loblied auf das Philistertum[221] ... *Wohin wir blicken, zieht stets und überall der germanische Genius ein Drittel seiner Kraft aus dem Philistertum, und wird von dem alten Riesen, dem Gedanken, mit welchem er ringt, in den Lüften schwebend erdrückt, wenn es ihm nicht gelingt, zur rechten Zeit wieder den Boden, aus dem er erwuchs, zu berühren.* Dieses Loblied beginnt mit der Feststellung: *Ist das nicht ein wunderliches Ding im deutschen Land, daß überall die Katzenmühle liegen kann und liegt und Nippenburg rundumher sein Wesen hat und nie die eine ohne das andere gedacht werden kann?*, das heißt: nie die Katzenmühle ohne Nippenburg. Nippenburg steht für die Kleinstadt und ihr Philistertum, die Katzenmühle symbolisiert einen von der Welt abgesonderten Bereich, die von ihm nichts weiß und nichts wissen will, ein gesichertes, lichtes Reich, in dem die innerlich freien, wahren Menschen zu Hause sind und Heimatrecht haben. Der Held des Romans, Hagebucher, gehört ihm zu, wenn er auch trotz allem, was er als Sklave in Afrika und als Heimkehrer in der Kleinstadt erfahren hat, zugleich wie sein Vater die Lebensform eines Philisters annimmt. Diese Verbindung von innerer Freiheit und Überlegenheit, von geistiger Souveränität und Philistertum ist charakteristisch. Luther, Goethe, Schiller und Jean Paul nennt Raabe als Beispiele und sagt, sie *zeigen gern ein behagliches Verständnis für die Werkstatt, die Schreibstube und die Rats-*

stube[222]. Die *Neuntöter* im *Hungerpastor* tagen unter den Bildern Blüchers und des Sokrates[223], in *Villa Schönow* kommt von dem Stammtisch in Dämels Ecke Hilfe für solche, die in Not geraten.[224] Man könnte Beispiele dafür häufen, die zeigen, wie bei Raabe die «Wirtsstuben, mit Philistern gefüllt . . . wahre Brutstätten der Menschlichkeit und des Humors werden»[225]. Selbst noch eine Gestalt, in der sich Raabe *am freiesten und sichersten über der Welt empfunden*[226] hat, die *aller Philisterweltanschauung den Fuß auf den Kopf setzen kann*[227] – selbst Stopfkuchen trägt alle äußeren Züge des Philisters. Den Stammtisch im «Goldenen Arm» sucht er allerdings nicht mehr auf und braucht ihn nur als Mittler, der dank seiner Klatschsucht Stopfkuchens Wissen in der Stadt verbreiten soll. Dieser Stammtisch repräsentiert die Raabe wohlbekannte, negative Seite des Philistertums, Standesdünkel, Bildungsstolz, die schöne Phrase und den Eigennutz. Aber in *Stopfkuchen* steht auch das Wort, das diesen doppelbödigen Charakter des Philistertums am eindeutigsten ausspricht: *Ja, so ein richtiger deutscher Spießbürger in seiner Kneipe! Man zieht die Achseln nur deshalb über ihn, weil man selbstverständlich stets den unrichtigen für den richtigen nimmt.*[228]

Das Widerspiel zwischen Künstlertum und Philisterium, das Raabe zeigt, kehrt also als Ambivalenz innerhalb des Philistertums selbst wieder, das Nippenburg u n d die Katzenmühle umschließen kann – nicht muß. Vermöge dieser Ambivalenz wird das Philisterium befähigt, künstlerisches Ausdrucksmittel für die Ambivalenz des Lebens zu sein. Unter seinem Bild wird «das Leben selbst in seiner widerspruchsvollen Fülle zur Anschauung gebracht», wie Weniger den eigentlichen Gehalt der Raabesche Dichtungen formuliert.[229] Deshalb verpuppt sich das Humane und Geistige immer wieder ins Philiströse, es zugleich bestätigend und überwindend. Bestätigend, weil es den Fortbestand des Lebens garantiert. In *Der Dräumling* holt der Storch stets die Kinder aus dem Sumpf bei Paddenau, der das Philisterium symbolisiert. In *Die Innerste* schützt der Korporal Brand unter Aufopferung des eigenen Lebens die Sarstedter Mühle vor allen drohenden Dämonen, damit ihr kleines, spießiges Glück erhalten bleibt. Denn dieses allein garantiert den Fortbestand des Lebens. Ebenso aber erheben sich aus dem Philisterium immer wieder seine Überwinder. Sie leben zugleich in Räumen, die eine Aufhebung des Philisteriums bedeuten, von der Katzenmühle über die Schiller-Feier in Paddenau bis zur Roten Schanze in *Stopfkuchen*. Raabes äußerlich philiströses Künstlerleben wie seine immer wiederkehrende Darstellung des in sich gespaltenen Philistertums sind also nicht Maske, sondern echter Ausdruck, künstlerische Aussage über die Welt und das Dasein des in ihr befindlichen Menschen.

Diese Verpuppung des Humanen und Geistigen ins Philiströse bei Raabe erklärt auch einen Teil seiner Wirkung. Die gemeinschaftsbildende Kraft, die er selbst in den genannten Vereinigungen an den Tag legte, bewährte sich auch in Ausstrahlungen, die von der persönlichen Mitwirkung unabhängig waren. Da sind einmal in Raabes

letzten Lebensjahren die «Brüder vom Großen Sohl», eine jugend-
bewegte Schülervereinigung des Kaiser-Wilhelm-Gymnasiums in
Hannover. Sie hatte ihren Namen von einem Berg im Hils in der
Nähe von Raabes Geburtsstadt Eschershausen. Ihr Inspirator und
Gründer war der Oberlehrer Hans Freytag, der – selbst ein großer
Raabe-Verehrer – seine Schüler so für den Dichter zu begeistern
wußte, daß ihr Zusammenschluß ganz in dessen Zeichen stand. Auf
dem Großen Sohl, wo sie Weihnachten und den Jahreswechsel begingen, errichteten die Schüler 1910 in eigener Arbeit das erste Raa-
be-Denkmal. Raabe ist aber zu ihnen nicht persönlich in Beziehung
getreten.

Wie seine gemeinschaftsbildende Kraft hier schon als actio in di-
stans wirkte, so bewies sie sich nach seinem Tode in der Gesellschaft
der Freunde Wilhelm Raabes. Auch hier wurde die Botschaft der Hu-
manität, die Raabe gerade in den kleinen, philiströsen Kreisen seiner
Werke kündet, aufgegriffen und – überbetont, indem man die künstlerische Aussage des Werks nur als ethische Aussage verstand, eine
Wirkung, die zu unterschätzen man heute nur zu geneigt ist   abei
das ist ein Fehlurteil, das Raabe selbst trifft.[230]

ERSTE BRAUNSCHWEIGER WERKE

Hinter dieser Welt der Gemeinschaften, in denen sich Raabes Leben
zum großen Teil abspielt, und hinter dem Leben in der Familie steht,
von beidem scharf getrennt, zum Teil von den anderen nicht einmal
wahrgenommen und in seinem Wesen und seiner Bedeutung nicht
erkannt, das dichterische Werk. In Stuttgart waren auf den *Schüdderump* noch zwei historische Novellen gefolgt. *Der Marsch nach
Hause* [231] erzählt von zwei im Dreißigjährigen Krieg versprengten
Schweden, die nach fast dreißig Jahren versuchen, zu ihrer Armee
zurückzukehren und statt des erhofften Triumphs in die Katastrophe
von Fehrbellin hineingeraten. Wie alle geschichtlichen Erzählungen
seit *Else von der Tanne* macht *Der Marsch nach Hause* eine Aussage von allgemeiner Gültigkeit. Mit hintergründig-wehmütigem Humor verkündet er die immer gültige Lehre der illusions perdues und
des sic transit gloria mundi. Kunstvolle Rückblenden aus der Erzählzeit 1674 in die des Dreißigjährigen Krieges und die Konfrontation
der beiden Zeitebenen, die dabei einander durchdringen, machen
ebenso wie die Gegenüberstellung der männlich-kriegerischen Solda-
tenwelt und der mütterlichen Welt eines abgeschiedenen Alpendorfes
mit seinen Sennen den künstlerischen Reiz aus.

Komplizierter ist *Des Reiches Krone* [232]. Die Novelle schildert unter dem Symbol der Krone [233] an einem historischen Beispiel des ausgehenden Mittelalters, *daß die Liebe wahrlich den Tod überwindet,
ja Schlimmeres als den Tod zu einem Lachen macht* [234]. Das Geschehen ist einem Miterlebenden in den Mund gelegt und wird in

seiner Erzählung, in der er «in der Erinnerung an das Vergangene den Zweifel am Sinn des Lebens besiegt» (Kunz), und in den Reden anderer Beteiligter mehrfach gebrochen. Darin ähnelt *Des Reiches Krone* der *Else von der Tanne*, ebenso darin, daß in der historischen Erzählung eine Aussage von allgemeiner Gültigkeit erfolgt. Aber die Einkleidung in eine künstlich archaisierende, an der Bibelübersetzung Luthers orientierte Sprache hat «das künstlerische Gelingen des Werkes in manchen Partien gefährdet» (Kunz) und ist heute für die Wirkung ein kaum übersteigbares Hindernis. Im Gegensatz zu der auch zeitgetönten Sprache der *Gänse von Bützow* fehlt hier die Ironie.

Noch in Stuttgart begonnen, aber nach halbjähriger Pause in Braunschweig vollendet ist *Der Dräumling* [235]. Mit ihm nimmt Raabe sowohl von der Form des großen, auktorial erzählten Romans wie von der tragischen Weltsicht der großen Stuttgarter Romane Abschied. Zugleich ist es das erste Werk, das in künstlerischer Form Aussage über die Entwicklung des Dichters und über seine persönliche Stellung zu bestimmten Fragen macht, das also als künstlerisch geformtes Selbstzeugnis gewertet werden darf.

Mehrere Erzählschichten liegen übereinander. Die eigentliche «Handlung», in der der Maler Häseler die Liebe der schönen Wulfhilde gewinnt, steht auf dem Hintergrund der Schiller-Feier 1859 in Paddenau, einer Kleinstadt am Ufer des Sumpfes, der «Der Dräumling» heißt. Ihre Durchführung, deren Gefährdung durch kleinliche Spießergesinnung und durch bewußte Intrigen machen den Hauptinhalt der Erzählung aus. 1859 hatte Raabe an einer solchen Schiller-Feier teilgenommen und ein Gedicht von hohem Pathos beigesteuert [236]:

> *Die Glocken hallen, und die Banner wehen*
> *dem großen Feste, das wir heut begehen!*
> *Die Herzen schlagen, und die Augen glänzen*
> *dem stolzen Bilde, das wir heut bekränzen*
> *am Krönungstag des Geists, in Tat, in Wort, in Liedern –*
> *Ein einig einzig Volk, ein einzig Volk von Brüdern.*

Diese Art, Schiller zu feiern, wird im *Dräumling* liebevoll zugleich ironisiert und ernst genommen. Der Dräumlingssumpf und Paddenau symbolisieren und zeigen die Welt des Philisteriums, die doch bei dieser Feier über sich selbst hinausgehoben wird. Das ist hauptsächlich das Werk eines einzigen Enthusiasten, des Rektors Fischarth, der aber selbst wieder in seinem Enthusiasmus auch ironisch gesehen wird. So zeigt Raabe den Sumpf des Philisteriums, in dem alle stecken, als die beherrschende Realität, in der sich das Leben vollzieht, in der aber auch die Möglichkeit jeden Aufschwungs steckt. Raabe versichert, daß er *keine hohe unsterbliche Tragödie* schaffe, sondern *nur eine harmlose Posse aus der Kinderstube des Lebens* [237] liefere. Damit wendet er sich von dem tragischen Pathos der letzten großen Stuttgarter Romane ab, um ein ganz unpathetisches, ironisch-humoristisches Werk zu schaffen. Er ist dabei von seinem eigenen Goethe-Erlebnis beeinflußt. Er sah bei Goethe mehr als das dichterische Werk den Menschen, der *sich in dem großen Kampfe zurechtgefunden* [238] hat, und wurde vor allem von seinem «unverdrossen realistischen Erfassen und Umgreifen der gegenständlichen Wirklichkeit», seinem «kräftigen Lebensvertrauen» beeindruckt.[239] Diesen Wandel in der Auffassung seiner eigenen künstlerischen Aufgabe dokumentiert Raabe in der Gestalt des Malers Häseler, der im Sumpf den ihm konformen Stoff entdeckt. Auch in der äußeren Erscheinung hat Raabe ihm eigene Züge geliehen. Der hat sich zuerst in Rom als Epigone der großen Maler versucht. Doch *der Wein, welchen Horaz und Virgil, Raffael Sanzio, Tizian und Correggio tranken, sagte meiner Natur nicht zu: aber das Münchener Bier brachte mich wieder auf die Beine, und darauf hoffe ich denn auch noch einige Zeit stehenzubleiben. Dem Weltgericht der Sistina gegenüber, vor dem Laokoon, ja selbst vor Myrons Kuh hatte ich Angst; aber im Panger Moos fand ich meinen Beruf, und den habe ich denn fortan gottlob festgehalten. O ich wachse auch mit meinen größern Zwecken, selbst Paddenau im Dräumling ist mir nur eine Station auf dem Wege in die Unsterblichkeit — glücklicherweise die vorletzte! Die letzte führt mich mitten in die Lüneburger Heide hinein, und dort — ja nur dort — ... hoffe ich vergnügten und bescheidenen Gemütes d e m Motive zu begegnen, welches mir meinen Platz im Konversationslexikon verschafft und durch mehrere Auflagen desselben verbürgt. Dort, in der nimmer genug zu preisenden Lüneburger Heide, so ungefähr zwischen der Örtze und der Meine, im Großen Moor zwischen Winsen und Hudemühlen werde ich mein — erstes Bild malen.*[240] In dieser Entwicklung Häselers, der in den

Illustration zu «Der Dräumling» von Raabe

Sumpf strebt, und dort dann doch in Wulfhilde eine Verkörperung edlen Menschentums findet und gewinnt, zeichnet Raabe den eigenen Weg.

Die Ambivalenz der im Sumpf symbolisierten Philisterwelt, die bei aller niederdrückenden Gewöhnlichkeit doch des Aufstiegs fähig ist und die allein den Fortbestand des Lebens gewährleistet, bedingt eine perspektivische Erzählweise, welche die Gegenstände immer von neuem und von anderem Standpunkt aus anleuchtet. Aber die Durchführung ist noch nicht gelungen. Eine Vielzahl programmatischer Reden und mehrfache Versinnbildlichungen, die parodistisch-witzig sein wollen, aber frostig wirken – die Szenen im Olymp –, sprengen die Einheit und lassen den *Dräumling* als den ersten Schritt auf einem Weg erscheinen, der nicht gleich zu neuer Sicherheit im Künstlerischen führte.

Die Werke, die sich anschließen, gehören zu den problematischsten Erzeugnissen von Raabes Feder. In *Christoph Pechlin* (1873)[241] gleitet er ins Burleske ab, was er 20 Jahre später im Vorwort zur zweiten Auflage als protestierende Reaktion auf den Materialismus der Gründerjahre stilisiert. Die Novelle *Deutscher Mondschein* (1873)[242] zeigt ihn auf denselben Wegen, wenn auch, wie die Reaktion Jensens lehrt[243], persönliche Züge eingedrungen sind. *Meister Autor* (1874)[244] kehrt zum Ernst zurück. Aber mit dem Nebeneinander von schwierigen Symbolen und frostigen Allegorien, mit «Bizarrerien und Paradoxien»[245], mit Irreführung und Verspottung des Lesers, mit einem Erzähler voller Widersprüche geheimnist Raabe viel in die Erzählung hinein, die «bis heute noch nicht völlig gedeutet» ist, und der Martini[246] mit Recht «ein noch unbewältigtes Experimentieren mit Sujet und Stil» bescheinigt. Man braucht neben *Meister Autor* nur spätere Werke zu halten, die dasselbe Problem behandeln – «das Abklingen der alten, das Vordringen der neuen Zeit» –, zum Beispiel *Das Horn von Wanza* und *Pfisters Mühle*, um zu erkennen, wie wenig die künstlerische Bewältigung des Problems hier befriedigt.

Diese Werke sind in der Tat «Ausdruck einer der schwersten Krisen, die Raabe in seinem Leben zu überstehen hatte»[247]. Die großen Hoffnungen, die er an die Stuttgarter Romane, besonders an *Abu Telfan*, geknüpft hatte, waren völlig enttäuscht worden. Die Erwartung, daß das große geschichtliche Geschehen von 1870 das Verständnis für sein Werk fördern und daß *nach abgeschlossenem Frieden eine sehr günstige Zeit für die «Romanschreiber»*[248] kommen werde, hatte sich ebensowenig erfüllt. Das bedeutete nicht nur, daß künstlerischer Ehrgeiz nicht befriedigt wurde, es bedeutete zur Unsicherheit der äußeren Existenz, es zeigte auch, daß Raabe noch nicht die richtige künstlerische Form gefunden hatte, die das, was er zu sagen hatte, in einer adäquaten, ihm eigentümlichen Gestalt aussagte. So macht er denn nach den unbefriedigenden Versuchen der ersten Braunschweiger Jahre einen neuen Ansatz.

Ich habe wenig Freude an dem «Hungerpastor», «Abu Telfan»

und dem «Schüdderump» gehabt, und also – wollen wir nach zwan-
zigjährigem Treiben von Neuem anfangen und «Erzählungen»
schreiben, eine nach der anderen ad infinitum oder wenigstens bis
zum Ende (20. Oktober 1874).[249] Deutlich setzt Raabe hier die
Form, die er als eigene empfindet, gegen den großen Roman ab. Auch
rückschauend läßt Raabe 1874 die wirklich ernteschweren Jahre be-
ginnen.[250]

Das erste Ergebnis dieses Neubeginns sind sechs Erzählungen, die
später (1879) unter dem Namen Krähenfelder Geschichten zusam-
mengefaßt wurden. Sie sind in den Jahren 1873 bis 1875 entstanden
und – die alte Verbindung mit Glaser wurde wiederaufgenommen –
in «Westermanns Monatsheften» 1874 bis 1876 erschienen. In diesen verhältnismäßig kurzen, etwa hundert Seiten umfassenden Erzählungen befestigt Raabe sich erneut im Gebrauch künstlerischer
Mittel, die er schon früher angewandt hatte, die aber für die nun
folgenden Werke besonders charakteristisch sind. Die Rolle des Erzählers wird herausgearbeitet – am stärksten zu Beginn von Vom alten Proteus[251] –, wenn sich auch keine ausgesprochene Rahmener-
zählung mit einem personifizierten Narrator findet. Zwei von den
sechs Geschichten sind historische Erzählungen. Die Innerste[252] spielt
im Siebenjährigen Krieg, Höxter und Corvey[253] fast hundert Jahre
früher. Auch sie sprechen wie alle späteren historischen Erzählungen
Raabes an einem Beispiel vergangenen Geschehens Allgemeines, zu
allen Zeiten Gültiges aus.

Wird damit die Bedeutung der Zeit entschwert, so gilt dasselbe
für die Erzählung auf verschiedenen Zeitebenen, eine Erzählform,
die in fast allen Krähenfelder Geschichten herrscht. Sie lassen in der
Erzählzeit ein zurückliegendes Geschehen sichtbar werden und auf
die Gegenwart der Erzählung einwirken. Das ist besonders eindrucks-
voll, wenn die Handlung auf eine ganz kurze Erzählzeit zusammen-
gezogen ist, auf einen Abend und eine Nacht in Höxter und Corvey,
auf die wenigen Stunden eines Nachmittages in Eulenpfingsten[254].
Dem entspricht ein rascher und häufiger Ortswechsel, der fast zu
einer Simultaneität der verschiedenen Räume führt. In Eulenpfingsten ist das künstlerische Mittel, die zeitlichen und räumlichen Bin-
dungen aufzuheben und damit – das ist die tiefere Bedeutung – die
Realität in Frage zu stellen, besonders stark ausgebildet. Daß wir
diesmal, wie es sich gehört, dem Strich nach erzählen, kann niemand
verlangen. Ganz und gar Ephemeron fährt die Geschichte auf dem
Wasserspiegel unter den überhängenden Weiden hin und wider und
kreuzt sechsmal, ehe du sechs zählst, die eben hingezuckte Bahn.[255]
Die letzte der sechs Erzählungen, Vom alten Proteus[256], mischt darüber hinaus fast surrealistisch Wirklichkeit und Traum, eine reale
und eine Scheinwelt und gewinnt aus deren Konfrontation und dem
Ineinander der beiden Welten stark humoristische Wirkungen. Die
unbeschönigte Darstellung der Wirklichkeit tritt besonders in Zum
wilden Mann[257] zutage, mit einer Härte, die sogar den Freund Jensen irritierte und Gottfried Keller tief beeindruckte. Jener meinte, das

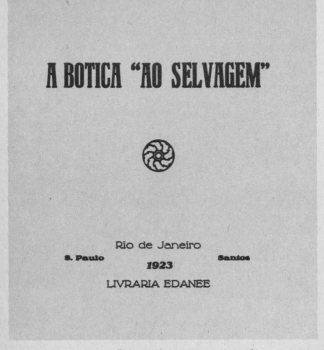

WILHELM RAABE

A BOTICA "AO SELVAGEM"

Rio de Janeiro

S. Paulo   Santos

1923

LIVRARIA EDANEE

«Zum wilden Mann». Übersetzung ins Portugiesische

Werk «sollte... polizeilich verboten werden», weil es zum Widerwillen gegen das ganze Menschengeschlecht [258] verleite, und Keller blieb während eines Spaziergangs mit einem Freund mitten im Gespräch über *Zum wilden Mann* plötzlich stehen, ballte heftig die Faust und rief: «Der Hund!» Er meinte Dom Agonista, den Vertreter des bösen Prinzips in der Erzählung.[259] Daß es Raabe dabei gelingt, die Gestalt ins Mythische zu vertiefen – ähnliches gilt von *Die Innerste* –, bereitet ebenfalls spätere Entwicklungen vor.[260]

Die in den *Krähenfelder Geschichten* neugewonnene und gefestigte Sicherheit feiert dann ihren ersten Triumph in *Horacker* [261], einer Erzählung, die Raabe auf der Höhe der Meisterschaft zeigt. Es ist die Geschichte von Horacker, einem armen Jungen, der vor dem Spott der Kameraden über seine Liebe aus der Besserungsanstalt in die Wälder seiner Heimat entweicht, wo das Gerede der Vielen, der Bauern wie der Städter, den elenden, hungernden Flüchtling als einen furchtbaren Räuber und Totschläger ausgibt, und es ist die Geschichte von seinem Mädchen, das auf die Kunde davon zu ihm eilt, um sein Los zu teilen. Daß ihr Wiederfinden gut ausgeht, ist das Werk weniger wirklicher Menschen, zweier Schulmeister aus der Stadt, Konrektor Eckerbusch und Zeichenlehrer Windwebel, und des Pastorenpaares Winckler auf dem Dorfe. Ihnen gelingt es, Horacker aus dem Wald herauszubringen, so daß er sein Mädchen findet, und die Vielen abzuwehren, so daß der Weg in eine bessere Zukunft offen bleibt.

Die Handlung ist zusammengedrängt auf die wenigen Stunden eines Sommernachmittages und auf den Raum zwischen der nicht genannten Stadt und dem Dorf Gansewinckel, zwischen denen der Wald liegt, in dem Horacker sich versteckt hält und durch den die beiden Lehrer ihren Nachmittagsspaziergang machen. Deutlich hat Raabes Weserheimat – Holzminden, der Solling und Boffzen – Modell gestanden (Raabe hat die Gegend während der Arbeit an der Erzählung besucht). Deutlich stehen Stadt, Wald, Dorf, die ganze Landschaft vor den Augen des Lesers, obwohl keine Beschreibung erfolgt; mit sparsamsten Worten werden ein paar Einzelheiten hingetupft, aus denen alles – Stadt, Wald, Feld, Dorf und die Atmosphäre, in der sie sichtbar werden, ebenso entsteht wie die Menschen. An die überkommenen Formen der Idylle und des Räuberromans anknüpfend, beide parodierend und in der Parodie aufhebend, gründet Raabe die Erzählung tief auf das echte Wesen des Menschen, sein immer wiederkehrendes Leiden und seine Bewährung in der Hilfe für den Leidenden. So schafft er aus Parodie, Ironie und Humor, aus Tragödie und Komödie in der anti-idyllischen Umwelt einer Gegenwart, die er als gesellschaftlich negativ durchschaut, noch einmal eine Möglichkeit der Idylle. Sie gipfelt in dem Zauber der Sommernacht im Pfarrhausgarten, der am Schluß alle handelnden Personen vereint, während die Leidenden sicher im Pfarrhaus sind, Horacker und sein Lottchen schlafend, bewacht von Horackers Mutter. Diese Erneuerung der Idylle wird möglich, weil sie um die immer wiederkehrenden Erdentragödien, um die alltägliche Gewöhnlichkeit des Menschen ebenso weiß wie um seine Fragwürdigkeit. Dabei erscheint auch hier das helfende, sich bewährende Menschentum in der Gestalt des Philisters, ja, es muß sich gegen Gefahren des Philistertums in sich selbst durchsetzen. Paradoxerweise ist die Gegenwelt dieses Philistertums, die sich ihm ironisch überlegen fühlt, verkörpert in dem Oberlehrer Dr. Neubauer, dem alle humanen Züge fehlen. Dieser Gegensatz erscheint zugleich als Gegensatz zwischen alter und neuer Zeit, als Gegensatz zweier Generationen.

Da schwatzen sie immer drauflos, daß der Schulmeister die Schlacht bei Königgrätz neulich gewonnen habe; aber nun frage ich dich, Hedwig: Welcher denn? Der alte oder der junge? Meines Wissens doch einzig und allein der alte!... Das soll sich erst ausweisen, was für ein Siegergeschlecht die neuen heraufziehen mit ihrem:

«Stramm, stramm, stramm
Alles über einen Kamm.»

Mir und meinem Alten kann es ja einerlei sein. W i r haben gott-
lob den Humor dazu, uns an vielem zu freuen; aber die armen Jun-
gen dauern mich, die nun den Exerziermeister in irgendeiner Form
ihr ganzes Leben lang nicht los werden, von der Wiege über die Schu-
le hinaus bis in ihr numeriertes kühles Grab.[262] Es ist derselbe Gegensatz, der gerade auf dem Gebiet der Schule zur Zeit der Entstehung von *Horacker* besonders sichtbar wurde. Thomas Mann beschreibt ihn in «Buddenbrooks»[263]: «Damals war Doktor Wulicke,
bislang Professor an einem preußischen Gymnasium, berufen worden, und mit ihm war ein anderer, ein neuer Geist in die alte Schule eingezogen. Wo ehemals die klassische Bildung als ein heiterer
Selbstzweck gegolten hatte, den man mit Ruhe, Muße und fröhli-
chem Idealismus verfolgte, da waren nun die Begriffe Autorität,
Pflicht, Macht, Dienst, Karriere zu höchster Würde gelangt, und der
‹kategorische Imperativ unseres Philosophen Kant› war das Banner,
das Direktor Wulicke in jeder Festrede bedrohlich entfaltete. Die
Schule war ein Staat im Staate geworden, in dem preußische Dienst-
strammheit so gewaltig herrschte, daß nicht allein die Lehrer, sondern auch die Schüler sich als Beamte empfanden, die um nichts als
um ihr Avancemant und darum besorgt waren, bei den Machtha-
bern gut angeschrieben zu stehen.»
Von diesem Gegensatz der beiden Lehrertypen in *Horacker* erzählte Friedrich Meinecke dem bedeutenden Altphilologen Hermann Diels,
und dieser bestätigte ihm, daß sich in seiner Frühzeit um 1870 so
die Lehrer geschieden hätten (Meinecke: «Erlebtes 1867–1901», S.
66).
Was in diesen Zeugnissen auf dem Gebiet der Schule sichtbar wird,
das ist der grundlegende Wandel, der sich Ende der siebziger Jahre in Deutschland zu vollziehen begann. In ihm löst eine jüngere
Generation die der Reichsgründung ab. An deren Stelle, die bis in
ihre höchsten Vertreter hinein – Bismarck, Moltke, Roon – noch
selbstverständlich getragen waren von der Tradition und den An-
schauungen des Neuhumanismus und der deutschen Klassik, tritt
die Generation, die in dem Glauben, das Reich sei nur durch Blut
und Eisen geschaffen, die reine Macht überbewertet und verabsolutiert. Es ist jenes Neupreußentum, das die weitere Entwicklung in
Deutschland bestimmt hat. Für diese Entwicklung ist dieser Genera-
tionswechsel von einschneidenderer Bedeutung als die politischen
Veränderungen, die die Reichsgründung mit sich brachte, ebenso
wie in der Mitte des Jahrhunderts der Beginn der Industrialisierung
und die Separation, die das Landschaftsbild vollkommen veränder-
te[264], einen das ganze Leben verändernden, tiefen Einschnitt setz-
ten. Auch ihn hat Raabe aufs stärkste empfunden und künstlerisch
gestaltet, vor allem in *Pfisters Mühle*.
Die weiteren Werke können nicht mit der gleichen Ausführlich-

keit besprochen werden wie *Horacker*. Dieser verdiente eingehendere Behandlung nicht nur, weil mit ihm Raabe zur eigenen Form erfolgreich durchstößt und weil er eine wichtige Stellungnahme Raabes zu Tagesfragen enthält. Die Produktion geht regelmäßig voran. Die durch die *Krähenfelder Geschichten* neu geknüpfte Verbindung mit Westermann bleibt bestehen und enthebt Raabe aller Sorgen um die Veröffentlichung für fast ein Jahrzehnt, während dessen alle seine Werke in diesem Verlag erscheinen. Nur *Horacker* war nach Berlin an Grote gegangen, der damals auch *Die Chronik der Sperlingsgasse* übernahm. Die übrigen Werke erschienen sämtlich zuerst als Vorabdruck in «Westermanns Monatsheften». Raabe wußte, daß diese Form der Veröffentlichung, bei der das Werk in Fortsetzungen geteilt wurde, der Wirkung schadete, hat sie aber, von wenigen Versuchen abgesehen – *Drei Federn, Horacker, Das Odfeld* – immer hingenommen, *nur pour faire ma cuisine, wie der selige Honoré de Balzac das ganz vortrefflich und richtig sagte* [265]. Auf *Horacker* folgen zwei ähnlich kurze Erzählungen, *Wunnigel* (1878) und *Deutscher Adel* (1878) [266]. In beiden ist das Thema das Problem des Phantasiemenschen, und Raabe hat sich hier wohl eine eigene innere Gefährdung von der Seele geschrieben.

Die Raabe eigentümliche Weise zu produzieren, die von Werk zu Werk wiederkehrt, besteht darin, daß am Anfang ein knapper Entwurf steht, der meistens in mehreren Stufen angereichert und gefüllt wird, bis am Schluß die endgültige Fassung als die umfangreichste folgt. Er übt also eine Produktionsform, die der von manchen neuerer Autoren wie Stefan Zweig und Gottfried Benn gelobten Methode, die abschließende Fassung durch Streichen zu erzielen, entgegengesetzt ist. In ähnlicher Weise hat er sich die ihm eigentümliche epische Form der Erzählung erarbeitet, die zwischen Roman und Novelle steht. Die ersten Werke auf dem neu begonnenen Wege, die *Krähenfelder Geschichten*, sind kurz und füllen alle gegen hundert Seiten. Die drei folgenden haben größeren Umfang, rund hundertundsechzig Seiten.

Auf sie folgt das bei weitem umfangreichste Werk der Braunschweiger Zeit, das einzige, das seiner Größe nach als Roman klassifiziert werden kann, *Alte Nester, zwei Bücher Lebensgeschichten* [267]. Das Werk handelt von dem Jugendparadies, das verlorengeht. Die Handlungsträger werden aus ihm in die Ernüchterung geworfen, auf die sie alle verschieden reagieren, mit Hilflosigkeit, mit Geduld, mit Resignation – mit einem Erfolgswillen, der sich zuletzt doch scheitern sieht – oder mit der Entfaltung einer wirklichen Natur, die dem Grunde des Lebens verbunden bleibt und deshalb in Ruhe für sich und die andern eine Ordnung schaffen kann. Das alles wird vielfach gebrochen in der Person eines Narrators, der, selbst einer der Handlungsträger – nämlich der resignierende –, den Fluß des Lebens in vielfach wechselnden Perspektiven schildert. Paul Heyse nahm das Werk begeistert auf: «Da las ich die letzten Kapitel Ihrer ‹alten Nester› und es stieg und schwoll mir immer wärmer und wohliger zum

Herzen und gegen die Augen und: diesmal, sagt' ich mir, schreibst du's ihm aber, was er für ein begnadeter Mensch ist und wie er so mit vollen Händen zu geben weiß, daß man immer nur Not hat, alles in Empfang zu nehmen! ... Es ist von Ihrem Allerschönsten, Reinsten, Besten und Innigsten und ich staune nur immer, in wie gleicher, nie absinkender Kraft und Fülle das alles aus Ihrem lieben Gemüte quillt.» Raabe dankt herzlich, fügt aber mit wohl beabsichtigtem Understatement hinzu: *Das ganze Geheimnis meiner Schreiberei liegt darin, daß ich mich in diesen fahrigen Zeiten an der übermäßigen Bewegung langweile und dazu aus der Not eine Tugend machen muß, um meine vier Mädchen ... durch die hungrige Welt zu füttern und für ihr Schuhwerk und Schulgeld Rat zu schaffen. Wenn man dazu von den Lebendigen keinen und von den Toten wenige sich über die Schulter und in's Manuskript sehen läßt; dann geht's schon.*[268]

Ein so umfangreiches Werk hat Raabe später nicht mehr geschrieben. Mit dem nächsten Werk, *Das Horn von Wanza* (1881)[269] schlägt das Pendel zurück und ist die Form der Erzählung im Umfang von an die zweihundert Seiten – selten etwas mehr – erreicht. In diesen Erzählungen wird perspektivisch erzählt. Ein personifizierter Narrator ist verhältnismäßig selten, er findet sich außer in *Alte Nester* noch in *Pfisters Mühle, Stopfkuchen* und *Die Akten des Vogelsangs*. Fast alle diese Werke erzählen auf mindestens zwei Zeitebenen, die einander kunstvoll durchdringen. Mehrfach ist die Handlung auf ganz kurze Zeit zusammengedrängt – am stärksten in *Das Odfeld*, wo sie nur vierundzwanzig Stunden umfaßt, oft auch in einem beschränkten, fest umgrenzten Raum angesiedelt. Nimmt man hinzu, daß die Ereignisse immer wieder im Medium der beteiligten Personen gespiegelt werden, so ergibt das alles eine Fülle von Perspektiven, Brechungen, Anleuchtungen und Bezugnahmen, die von Werk zu Werk variieren und eine Vielzahl der verschiedensten künstlerischen Möglichkeiten enthalten.

Unter den Werken dieser Zeit muß eine Erzählung hervorgehoben werden, weil sich in ihr eine eigentümliche Seite von Raabes Dichtertum besonders deutlich zeigt. *Fabian und Sebastian*[270] spielt auf zwei zeitlichen Ebenen. Die Erzählzeit reicht von Januar bis November eines der achtziger Jahre des 19. Jahrhunderts, aber zugleich werden Ereignisse geschildert, die 20 Jahre zurückliegen und die erst ganz allmählich durch wiederholte Rückblenden dem Leser sichtbar werden. Damals war die Schokoladenfabrik Pelzmann & Co. im Besitz der beiden Brüder Fabian und Sebastian Pelzmann, während der dritte Bruder Lorenz in einem Regiment der Stadt als Offizier Dienst tat. Um ein Mädchen kommt es zum Konflikt, um Marie Erdener, die Tochter des Schäfers von Schielau. Sie wird Arbeiterin in der Schokoladenfabrik und zieht durch ihre Schönheit bald die Blicke Sebastians und Lorenz' auf sich. Aber Sebastian weiß unter Ausnutzung von Wechselschulden seines Bruders diesen auszuschalten. Er muß den Dienst quittieren, die Stadt verlassen und geht nach Niederländisch-Indien, um in der holländischen Fremdenlegion Dienst zu tun. Fabian opfert fast sein ganzes Vermögen, das heißt seinen Anteil an der Firma, um einen unehrenhaften Abschied seines Bruders zu verhindern. So wird Sebastian Alleininhaber der Firma und gewinnt Marie. Aber nach kurzer Zeit stößt er sie wieder von sich, obwohl sie ihm ein Kind gebiert. Voll Verzweiflung ertränkt sie das Neugeborene. Dafür muß sie 20 Jahre ins Zuchthaus. So steht Sebastian am Ende der Vorgeschichte als scheinbarer Sieger da. Die Firma ist sein, Fabian ist als Angestellter ins Hinterhaus verdrängt, Lorenz ist im fernen Sumatra, Marie für lange Zeit im Zuchthaus. Seine Stellung scheint unerschütterlich.

Zwanzig Jahre später ist Lorenz in der Ferne gestorben, unter Hinterlassung einer Tochter, Konstanze, die er seinen Brüdern ans Herz legt und die Fabian gegen Sebastians Willen freudig aufnimmt. An Sebastian aber nagt das schlechte Gewissen je länger, je mehr; heimlich umkreist er nachts, bald auch am Tage das Zuchthaus, aus dem Marie nun bald entlassen werden muß. Und als er vor dem Zuchthaus Maries Vater trifft, da bricht er zusammen im Bewußtsein seiner Schuld. Marie aber, aus dem Zuchthaus entlassen, ist immer noch die leichtsinnige, haltlose Person wie vor 20 Jahren. Ihr Vater kann nichts tun, als sie vor der Welt verstecken, bis sie binnen kurzem an den Folgen der Haft stirbt. In dieses Geflecht alter Schuld und Wirrungen kommt Konstanze. Zunächst ohne genaueres Wissen, nur aus der Fülle ihres unschuldigen, liebevollen Herzens heraus macht sie sich daran, den anderen zu helfen und ihr verschuldetes Leid mitzutragen. Dreimal erfüllt sie diese Aufgabe. Sie begleitet den Schäfer Erdener zum Zuchthaus, wo er seine Tochter besucht; sie verhilft am Sterbelager Sebastians diesem durch die Illusion, sie sei seine Tochter, zu einem sanften Tod; nach Maries Tod hilft sie ihrem Vater aus seiner Verwirrung und Verzweiflung heraus. So ist *Fabian und Sebastian* die Erzählung von einem lieblichen Kind, das aus weiter Ferne in eine Welt der Schuld und des Leides kommt, um in seiner Unschuld und Reinheit diese Schuld auf sich zu nehmen, sie zu tragen und dadurch die anderen von ihr zu befreien. Mit anderen Worten: Raabe erzählt in der Welt und Wirklichkeit des 19. Jahrhunderts jenes Mysterium, das seine biblische Gestaltung in der Weihnachtsgeschichte gefunden hat.

In dieser lebt bekanntlich der alte mythische Archetypus vom Göttlichen Kind. Für die Echtheit und Tiefe von Raabes Kunst ist es nun wichtig, daß er seiner Konstanze typische Züge des Göttlichen Kindes leiht, die in der Weihn. chtsgeschichte fehlen und die er auch nicht anderswoher kennen konnte: – die Elternlosigkeit, die Meerfahrt und die Alterslosigkeit. Unbewußt konnte er diese archetypischen Züge des Mythos aus der Tiefe seines Dichtertums schöpfen, so wie Thomas Mann Hans Castorp unbewußt mythische Züge des Quester Hero beilegte.[271]

Während der Jahre der Zusammenarbeit mit Westermann besserten sich auch Raabes finanzielle Verhältnisse. Erhielt er nach *Horacker* zunächst für jedes Werk 3000 Mark, so konnte er seine Forderung mit dem *Horn von Wanza* auf 4500 Mark erhöhen. Da er fast in jedem Jahr ein Werk vollendete, stellt dieses Honorar die Jahreseinnahme dar, zu der dann noch seit 1877 die – nicht hohen – Honorare für die Neuauflagen der *Chronik der Sperlingsgasse* und des *Hungerpastor* kommen. Zum Vergleich sei mitgeteilt, daß 4500 Mark damals in Braunschweig das Jahresgehalt eines Gymnasialdirektors, Museumsdirektors, Stadtarchivars nach zwölf Dienstjahren darstellten. 1896 wehrt Raabe sich gegen das Gerücht, er *befände sich in ernster Notlage* und gibt sein Einkommen auf *immerhin doch durchschnittlich jährlich 4–5000 Mark* [272] an.

Allerdings ging diese regelmäßige, Raabe sichernde Zusammenarbeit mit dem Verlag Westermann nach ungefähr zehnjähriger Dauer zu Ende. Nachdem 1884 für *Villa Schönow* [273] ein geringeres Honorar gezahlt war, gab Westermann das Manuskript des nächsten Werkes, *Pfisters Mühle* (1884), zurück, *weil... das Publikum behaupte, meine Bücher glichen einander zu sehr* [274]. *Ende der Verbindung mit der Verlagsbuchhandlung George Westermann* [275]. So stand Raabe mehr als fünfzig Jahre alt erneut vor der Notwendigkeit, Verleger für seine Werke zu suchen. Im allgemeinen machte das zwar keine große Mühe, nur bei *Pfisters Mühle* und *Das Odfeld* gab es Schwierigkeiten und dementsprechend geringere Honorare, beim *Odfeld* auch deswegen, weil Raabe bei diesem Werk, an dem ihm besonders viel lag, bereit war, *um meinen närrischen Willen zu haben... auf die drei- bis viertausend Mark* zu verzichten, *die mir der vorherige Abdruck in Journalen erbringen würde* [276]. Andererseits brachte die Trennung von Zeitschriftenabdruck und Buchverlag – hier sprang Grote ein – für Raabe die höchsten Honorare, die er je erhielt. *Unruhige Gäste* und *Im alten Eisen* brachten je 4700 Mark. Einmal noch übernahm durch Glasers Vermittlung Westermann ein Werk, *Der Lar* [271], dann wird 1890 eine neue dauernde Verbindung geknüpft, die mit dem Berliner Verleger Otto Janke, bei dem schon *Der Hungerpastor*, *Drei Federn* und *Der Dräumling* erschienen waren. In dessen Romanzeitung und als Buch in dessen Verlag erschienen nun, von *Stopfkuchen* an, alle weiteren Werke Raabes.

Tatsächlich kommt in der Ablehnung von *Pfisters Mühle* durch den Verlag zum Ausdruck, daß das Publikum für die Raabesche Kunstform, wie sie sich erst nach *Alte Nester* endgültig konsolidierte, kein Verständnis mehr aufbrachte. Das gilt auch für gutwillige Beurteiler, denen man Sachverständnis nicht absprechen kann, wie Paul Heyse. *Alte Nester* hatte er noch begeistert begrüßt, aber wenige Jahre später urteilt er: «Seine wärmsten Verehrer – zu denen der Unterzeichnete gehört – können sich nicht verhehlen, daß dies höchst bedeutende Talent in den letzten Jahren keine Fortschritte gemacht, sich vielmehr in eine gewisse Manier verrannt hat, die es entschuldigt, wenn das Publikum und die Verleger sich mehr und mehr befremdet von ihm abwenden.»[278] Um so höher ist es zu werten, daß Heyse sich trotzdem für Raabe einsetzte. Unter ausdrücklicher Berufung darauf, daß Westermann das Verlagsverhältnis gelöst hatte, veranlaßte er die Deutsche Schillerstiftung, Raabe eine Jahrespension von 1000 Mark zu bewilligen, die bis an Raabes Lebensende gezahlt wurde. Aber auch Fontane, der Raabe wohlwollend gegenüberstand, tadelte an *Fabian und Sebastian* eine «hochgradig ausgebildete Manier» und kam zu dem harten Urteil: «Ganz Raabe; glänzend und geschmacklos, tief und öde.»[279]

Diese Ablehnung erfolgt gerade in dem Augenblick, in dem Raabe nicht nur ein besonders reifes, eindrucksvolles Beispiel seiner Kunst vorlegt, sondern sich auch mit den Problemen der neuzeitlichen Entwicklung auseinandersetzt und seine Einsicht in die Notwendigkeit dieser Entwicklung bezeugt. Beides geschieht in *Pfisters Mühle*[280]. *Ein Sommerferienheft* nennt Raabe das Werk, und es gibt sich als ein Konvolut von 22 Blättern, auf denen der Narrator, Eberhard Pfister, während des letzten Aufenthalts auf der väterlichen Mühle seine Erinnerungen und Gedanken niederschreibt. Denn diese Mühle mit Mühlengarten und Gastwirtschaft, ein beliebter Ausflugsort in der Nähe einer Universitätsstadt, hat der modernen Industrie weichen müssen. Die Abwässer der Zuckerfabrik Krickerode verunreinigen und verpesten den Mühlenbach, sie vertreiben die Gäste und das Mühlenpersonal. Die Mühle wird verkauft, an ihrer Stelle entsteht eine Fabrik, und der Sohn des letzten Müllers, Oberlehrer in Berlin, verlebt kurz vor dem Abbruch der Mühle noch einmal seine Ferien auf dem väterlichen Besitz.

Hier erzählt er, sich erinnernd, seine Jugend, seine Erziehung durch den Studenten Asche und die Vorgänge, die zum Untergang der Mühle geführt haben, wie das Mühlwasser verpestet wurde, wie Asche die Ursache fand, wie Vater Pfister gegen die Zuckerfabrik prozessierte und gewann, aber die Mühle doch nicht rettete, und schließlich Vater Pfisters Tod. Das führt zu einer sehr kunstvollen Behandlung der Zeit.[281] Es liegen nicht nur verschiedene Zeitschichten übereinander. In einer Weise, deren erste Ansätze bis zu *Nach dem großen Kriege* zurückreichen, durchdringen Erzählzeit (Eberhards Ferien), erzählte Zeit (Eberhards Jugend und der Untergang der Mühle) und Zukunft (Bau der neuen Fabrik) einander, und ohne Markierung einer zeitlichen Grenze erfolgt – oft in ein und demselben Satz – der Übertritt von einer Zeitstufe in die andere.

Ein instruktives Beispiel [282] (1 = Erzählzeit, 2 = erzählte Zeit, 3 = Zukunft): *Die Sonne steigt* (1) *und Vater Pfisters letzter Stammgast* (2) *müßte um eine Bank weiterrücken, um im Schatten seiner* (1) *Erb*(2)*bäume zu bleiben ... Aber wir wohnen schon auf der Schattenseite ... in der großen Stadt, und ich habe mich daselbst allzu häufig* (1) *nach dem Sonnenlicht der Jugendheimat* (2) *gesehnt, um demselben* (2) *inmitten derselben in einer solchen wohligen Frühe aus dem Wege zu gehen. Und ich habe* (1) *den Grundriß und sonstigen Entwurf der großen Fabrik, welche die demnächstigen Eigentümer* (3) *an diesem Orte* (1) *aufrichten werden* (3), *eingesehen und weiß* (1), *wie wenig Helle und Wärme im nächsten Jahre schon die Ziegelmauern und hohen Schornsteine* (3) *auch hier* (1) *übriglassen werden. Auch diese Vorstellung* (3) *hält mich auf meinem Platze fest. Ich fühle mich mehr denn je* (1) *als Vater Pfisters letzter Stammgast* (2) *in dem heutigen Sonnenschein und Baumlaubschatten* (1). *Es hat sich manch einer einen mehr oder weniger vergnüglichen kleinen Rausch* (2) *an diesen Gartentischen* (1) *gezeugt ...*

Aber nicht nur geht die Erzählzeit immer wieder in die erzählte Zeit über, auch innerhalb dieser sind noch Rückblenden möglich, die also innerhalb der erzählten Zeit im Gegensatz zum Ablauf der Erzählung auf Früheres zurückgreifen, den Vorgang des Erzählens sozusagen auf den Kopf stellen und auf eine sehr intrikate Weise die zeitlichen Grenzen noch mehr aufheben. Die Verwischung der zeitlichen Grenzen geht so weit, daß eine Person ohne weiteres aus der einen Zeit in die andere hinüberwechseln kann, zum Beispiel am Ende des 10. Blattes. Am Ende von Blatt 9 hatte Eberhard berichtet – die Fiktion geht dahin, daß er, was er niederschreibt, seiner Frau erzählt hat –, wie er mit seinem Vater und seinem Erzieher und Freund Asche *sich auf dem Wege nach dem «Blauen Bock»* befand (erzählte Zeit). Blatt 10 beginnt: *Ich nahm Emmy* (Erzählzeit) *nicht weiter mit in den Blauen Bock* (erzählte Zeit), *wir gingen denn doch endlich lieber zu Bett in der stillen Mühle* (Erzählzeit) *... Ich aber ... blieb in der Erinnerung noch ein wenig im Blauen Bock* (erzählte Zeit).[283]

Wenn diese Aufhebung der Zeitenabfolge, die die zeitlichen Grenzen kaum mehr erkennen läßt und den Schritt hinüber und herüber leicht macht, nicht dazu führt, daß die Einheit des Kunstwerks gesprengt wird, so ist der Grund dafür die Einheit des Raumes, in der fast das ganze Geschehen sich vollzieht. Dieser Raum ist die Mühle. In ihr schreibt Eberhard Pfister seine Erinnerungen nieder, auf sie sind die handelnden Personen immer wieder bezogen, und wenn sich auch einer entfernt, solange der alte Pfister lebt, kehren alle immer wieder nach dort zurück, und sei es auch als Tote. Außerhalb dieses Raumes steht nur Emmys Vater mit seinem alten Kirchhof, der aber zur Mühle in Beziehung tritt. Hier erhält Eberhard den Brief, der ihn zu dem sterbenden Vater ruft.

Trotz mancher Ansätze hatte Raabe bisher niemals die Zeit in so hohem Grade entschwert und ein artistisch-ironisches Spiel mit ihr getrieben. Aber mit der künstlerischen Leistung ist die Bedeutung dieser Behandlung der Zeit noch nicht erschöpft. Die Erzählung schildert am Beispiel der Mühle den Vorgang der Industrialisierung, die seit den fünfziger Jahren des 19. Jahrhunderts in Deutschland einsetzte und nach 1870 sich noch steigerte, und die Reaktion der verschiedenen Personen auf diese Entwicklung. Aber sie beschränkt sich dabei nicht auf den Untergang der Mühle und ihr Erliegen vor der modernen Industrie – sie läßt auch deutlich werden, daß das, was an Pfisters Mühle wichtig war und wofür sie steht, auch in der veränderten Umwelt weiterlebt. Raabe schildert sozusagen den Erbgang der Mühle und der Werte, die sie symbolisiert. Und der Erbe ist nicht der Sohn des Müllers, der Oberlehrer Eberhard, sondern Asche, der schließlich ernstlich Chemie studiert hat. Er verschreibt sich der neuen Industrie und errichtet in Berlin eine große chemische Reinigungsfabrik. Ihm übergibt der sterbende Vater Pfister seine Mülleraxt und bezeichnet ihn damit als seinen eigentlichen Erben. Seine Fabrik ist die wahre Nachfolgerin der Mühle, weil er der Mann ist, das, was an ihr wesentlich war, auch unter den veränderten Umständen zu wahren. Denn nicht der Ort und nicht das Zeitalter sind entscheidend, sondern der Mensch, der als solcher in seinem Wesen, in seiner unveränderlichen Substanz den Wechsel der Zeitalter, den *Unterschied in der Zeitenfolge und im Kostüm* [284] überdauert. *Der richtige Mensch hat am Ende auch nicht die reine Luft, die grünen Bäume, die Blütenbüsche und das edle, klare Wasser von Quell, Bach und Fluß nötig, um ein rechter Mann zu sein.* [285] Aber diese Aussage des alten Pfister erhält Gültigkeit erst durch die ergänzende Aussage Asches, den seine Tätigkeit als erfolgreicher moderner Industrieller allein nicht befriedigt und auch das glückliche Familienleben nicht. Beides ist noch nicht *das Ganze des Daseins . . . Da habe ich mir denn das Griechische ein bißchen wieder aufgefärbt und lese so zwischendurch den Homer.* [286] Homer und Griechisch stehen hier symbolisch für eine Seite der menschlichen Existenz, die über «Hunger und Liebe», über Beruf und Familie hinausgeht und als geistiges Dasein das Dasein des Einzelnen erst wirklich zur menschlichen Existenz macht. Asche denkt an *das Ganze des Daseins* und zeigt, daß auch unter noch so veränderten Umständen die menschliche Substanz bleiben und auch in Bejahung der neuen Umwelt sich bewähren kann. Der sprachliche Ausdruck für diese Möglichkeit, den Gegensatz der Zeitepochen zu überwinden, ist aber die Relativierung der Zeit in der Erzählung, eine «Relativierung der tatsächlichen Vorgangselemente zugunsten des übertatsächlichen Sinngehaltes» [287].

Raabe hat es sich bei dieser grundsätzlichen Auseinandersetzung mit drängenden Fragen seiner Gegenwart nicht leicht getan und eine Antwort gesucht und gefunden, die *Pfisters Mühle* über den Zeitroman zum Kunstwerk erhebt, in dem das Zeitproblem nur ein einzelnes Beispiel eines allgemein menschlichen Problems ist. Wie ernst und tief er die Auseinandersetzung mit diesem Problem nimmt, beweist das 22. Blatt, das Vater Pfisters letzte Rede wiedergibt. Hier zeigt sich, wie schwer Raabe, dessen Herz zweifellos auf der Seite der versinkenden, vorindustriellen Welt war, sich dazu durchgerungen hat, die Notwendigkeit der Entwicklung zu erkennen und aus dieser Erkenntnis zu bejahen. Deshalb stellt diese Szene eines der gewichtigsten Selbstzeugnisse Raabes dar.

Vater Pfister sitzt bei dieser Rede, ein todkranker Mann, *unter dem noch einmal so kurz vor dem ersten Schneefall blütentragenden Kastanienbaum* [288], ein bildhaftes Symbol für die Entschwerung der Zeit. Die Rede setzt den bevorstehenden Tod des Müllers und das Ende der Mühle in eins und erkennt darin zugleich das Ende eines Zeitalters. Dann verkündet Vater Pfister sein Testament, aber alle Erben, die er nennt, seine treuen Bediensteten wie sein Sohn, haben schon die Mühle verlassen oder scheiden mit seinem Tode aus. Und die Frage, die Vater Pfister in die Zukunft hinein stellt, die Frage, was aus dem wird, wofür die Mühle stand, bleibt bei jeder Nennung eines weiteren Erben unbeantwortet, um in ihrer Schwere und Ausweglosigkeit schließlich unverhüllt deutlich zu werden in der Frage: *Ist kein Dalberg da?* – dieser Fage, die der Kaiser des alten Reiches vor jedem Ritterschlag stellte, weil den Dalbergs die Ehre des Vortritts gebührte. Die Frage bleibt zunächst ohne Antwort. Aber gerade diese lange Vorbereitung gibt den Worten, in denen Pfister die Mülleraxt Asche vermacht und ihn damit zum eigentlichen Erben einsetzt, ihr Gewicht. Die Schlichtheit der Diktion, ein typisch Raabesches Understatement, läßt den zutiefst angerührten Leser fühlen, daß die Antwort, die Vater Pfister schließlich gibt, aus den tiefsten Schichten menschlichen Seins kommt: *Für seine Mühe aber vermache ich dem Adam Asche meine Mülleraxt, die er sich über meinem Bette herunterholen soll, wenn sie mich herausgehoben haben, und wobei er manchmal in seinem besagten neuen Geschäft gedenken mag, wie viele Pfister die seit vielen Jahrhunderten mit Ehren in der Faust hielten. – «Hier, Vater Pfister!» rief mein Freund mit bebender Stimme, dabei mit merkwürdig unsicherer Hand die Hand des Greises fassend, und nun doch, als habe aus der neuen Zeit heraus jemand in eine versinkende hinein auf den fragenden Ruf: «Ist kein Dalberg da?» geantwortet.*

Die künstlerische Leistung ist in *Pfisters Mühle* so hoch getrieben, das menschliche Dasein in solchen Tiefen ausgelotet, daß man darüber fast vergißt, wie sehr die Personen des Buches äußerlich auch wieder das Gewand des Philisters tragen. Die Studenten und die Alten Herren, die den Mühlengarten besuchen, Vater Pfister und sein Sohn, Asche, der scheinbar als Student verbummelt, um sich dann der neuen Industrie in die Arme zu werfen, sie sind Philister. Die einzige Ausnahme bildet der alkoholbesessene Dichter Lippoldes, der aber scheitert.

In *Pfisters Mühle* hat Raabe zu einem entscheidenden Zeitproblem mit einem Ernst Stellung genommen, der es zu einem allgemein menschlichen Problem vertieft. Um so schwerer mußte ihn der geringe äußere Erfolg treffen. Aus dieser Enttäuschung erklärt es sich, daß Raabe mit dem nächsten Werk formal noch einmal auf andere Wege einzulenken versucht. *Unruhige Gäste* [289] steht unter allen Werken der Braunschweiger Zeit insofern allein, als Raabe hier noch einmal die seit dem *Schüdderump* nicht mehr geübte Form der auktorial erzählten Romane wählt und dieses Werk auch als einziges der Braunschweiger Zeit als Roman bezeichnet. Raabe knüpft hier inhaltlich an *Zum wilden Mann* an, führt dessen *Figuren und ethische und psychologische Zustände von neuem vor* und *bringt* sie *zu einem Abschluß* [290]. Auch hier bricht eine feindlich böse Welt, nicht durch einen Einzelnen, sondern durch die ganze Gesellschaft vertreten, in die stille, in sich ruhende Welt einer reinen, gläubigen Seele ein und sucht sie zu zerstören. Das gelingt am Ende jedoch nicht, weil diese innerlich überlegen und in ihrer gläubigen Sicherheit unangreifbar bleibt. Trotz der Rückkehr zur Form des auktorialen Romans war das Ergebnis nicht nach dem Geschmack des Lesepublikums der «Gartenlaube», in der der Roman erschien. Vergeblich bemühte sich der Herausgeber Kröner in immer neuen Vorschlägen darum, Raabe einen versöhnenden Schluß abzuringen, der dem Geschmack der Leser der «Gartenlaube» wenigstens etwas entgegengekommen wäre. [291] Raabe blieb fest.

Diese Erfahrungen mit *Unruhige Gäste*, in denen er in der Form sich dem annäherte, was dem Publikum geläufig war, veranlaßte Raabe zu einer erneuten Rechenschaft über sich und seine Kunst, in der er sich über sein Dichtertum prinzipiell Klarheit verschafft. Diese Auseinandersetzung, diese Bestimmung des eigenen künstlerischen Standpunkts vollzieht er in dem nächsten Werk *Im alten Eisen* [292].

Zugleich aber nimmt er auch zu den jüngsten Bestrebungen in der deutschen Literatur Stellung, jenem Naturalismus, der es besonders auf die Schilderung sozialen Elends, auf die unverhüllte Darstellung der Entrechteten, Mißbrauchten, Ausgestoßenen der Gesellschaft abgesehen hatte. Raabe beurteilt diese Richtung der Bleibtreu, Kretzer und wie sie alle hießen nicht gerade positiv. *Und wenn sie noch so genau den Düngerhaufen beschreiben, die Wiese im Morgentau und Sonnenglanz behält doch ihr Recht. – Plein-air-Schriftsteller, die die Welt in das Licht heben: Racine, Corneille, Molière, Shakespeare, Goethe und die großen Griechen; aber nicht ihr Kellerluftschnapper, ihr Dunkelmaler, die ihr nur eine neue Tagesphrase gefunden habt! O ihr Asthmatiker der Kunst!* [293] *Aus der physiologischen, psychologischen, pathologischen, sozialen Abhandlung heraus wieder in das Gedicht, die Dichtung; – aus der verdunkelten Krankenstube mit ihrem Eiter- und Typhusdunst, aus der Irrenhausatmosphäre und Beleuchtung in den Garten und das Haus der*

Kunst, über welchen alle Zeit die Sonne des alten Logau stehen wird.[294]

Und nun führt *Im alten Eisen* gerade mitten in ein solches Milieu. Es beginnt im Dachgeschoß einer Mietskaserne unterster Ordnung, wo zwei Kinder – Wolf und Paula Hegewisch – an der Leiche ihrer Mutter Erdwine drei Tage lang, frierend, hungernd und alleingelassen, eine grausige Totenwacht halten. Nur eine Freundin ihrer Mutter, das Rotkäppchen, ein armer Gassenschmetterling – sie entspricht der edlen Dirne des Naturalismus –, schlüpft am dritten Tage auf der Flucht vor der Polizei zu ihnen hinein. Als nun der Armensarg kommt, fehlen die Nägel, und Wolf muß seinen einzigen Besitz gegen eine Handvoll Nägel und ein Stück Kuchen für die Schwester tauschen, den Degen, den sein Großvater in den schleswigholsteinischen Freiheitskämpfen trug und in dem sich für den Knaben alle Männlichkeit, aller Mut, aller Glauben an das Gute verkörpern und der sein einziger Halt im Leben ist. Als dann der Leichenwagen kommt, wird der Sarg ohne Schmuck aufgeladen, und im Trab geht es zum Friedhof, während die Kinder, neben dem Wagen herlaufend, der Mutter das letzte Geleit geben. Aber auf dem Friedhof haben die Totengräber schon Feierabend gemacht, und die Leiche muß noch eine Nacht über der Erde bleiben. Trotz Widerstrebens nach Hause geschickt, sinken die Kinder auf dem Sterbestrohsack der Mutter in den Schlaf der Erschöpfung.

Man sieht, ein Bild sozialen Elends, wie es keiner naturalistischen Darstellung nachsteht, und doch ist alles bei Raabe ganz anders. Wieder erzählt er perspektivisch und läßt die Ereignisse in den verschiedensten Brechungen und Spiegelungen sehen. Zum Beispiel wird die Abfahrt des Sarges, den die Kinder begleiten, als Bericht des Rotkäppchens gegeben. Andere Handlungsstränge schieben sich immer wieder dazwischen. Bilder aus der glücklichen Jugendzeit Erdwines in Lübeck werden eingeblendet, sie erscheinen als Erinnerungen der Kinder an Erzählungen ihrer Mutter, werden also zweimal gebrochen; zum Teil weisen sie auch auf Kommendes hin. Zu diesen kunstvollen, perspektivischen Verschiebungen tritt dann aber als entscheidendes Ingredienz das Symbol des Degens. Er weist über das Milieu sozialen Elends hinaus auf die menschliche Substanz; hier verkörpert sie sich in dem tapferen Knaben Wolf. Ihr und nicht den veränderlichen gesellschaftlichen Umständen kommt die entscheidende Bedeutung zu.

Das zeigen auch die Träger des zweiten Handlungsstranges, der sich vielfach mit der Handlung um die Kinder kreuzt, um schließlich sich mit ihr zu vereinigen. Es sind drei Erwachsene: Frau Kruse, einst gefeierte Heroine des Theaters in Lübeck, wo sie Erdwine und ihren Vater kannte. Später als Leiterin einer Theatertruppe in Deutschland und Amerika tätig, ist sie schließlich am Abend ihres Lebens als Althändlerin am unteren Ende der sozialen Leiter angelangt. In ihrer Theatertruppe wirkte zeitweilig Peter Uhusen, auch er ein Lübecker Kind, der in seiner Jugend mit Erdwine gespielt und als Primaner sie verehrt hat. Von Hause davongelaufen, hat er dann nach seiner Tätigkeit in Frau Kruses Truppe am nordamerikanischen Bürgerkrieg teilgenommen, um schließlich als Feuerwerkstechniker in Wien eine Tätigkeit und eine Frau zu finden. Nach einer Verstümmelung durch eine Explosion und dem Verlust der Frau macht sich der einsam Gewordene auf, um in Berlin einen alten Schulfreund wiederzusehen, und trifft hier auf Frau Kruse. Dieser Schulfreund ist Albin Brokenkorb, ein reicher Lübecker Senatorensohn, der auf der Lichtseite des Lebens geblieben ist. Als angesehener Gelehrter und beliebter Vortragsredner, mit dem Titel Hofrat ausgezeichnet, führt er ein angenehmes Leben voll äußerer Erfolge. Das alles wird allmählich neben der Kinderhandlung und mit ihr verschlungen in vielfachen Brechungen perspektivisch erzählt.

Die Verbindung der beiden Handlungsstränge stellt Wolfs Degen her. Die Althändlerin, bei der er ihn versetzt, ist Frau Kruse. Sie erkennt die Waffe, zeigt sie Uhusen; beide gehen nun zu Brokenkorb und suchen mit ihm zusammen die Kinder, in Erdwines Dachkammer, wo sie das Rotkäppchen treffen, auf dem Friedhof, den die Kinder aber schon wieder verlassen haben, und finden sie schließlich in der Dachkammer schlafend.

Diese Fahrt zum Friedhof hinter den Kindern her führt immer tiefer in die Vergangenheit, die in den drei Teilnehmern stets von anderen Seiten angeleuchtet wird. Am ausführlichsten wird dabei Brokenkorb geschildert. Es ist Raabes Anliegen, zu zeigen, wie durch all die erschütternden Erlebnisse bei der Suche nach den Kindern, die bis zu seinem körperlichen Zusammenbruch führen, sein rhetorisches Dasein — er kann *über alles reden* — nicht verändert wird. Alles, was er erlebt, ist ihm im Grunde nur Stoff für die eigene Wirkung durch das Wort. Immer und überall *denkt er Literatur*. Im Gegensatz zu Uhusen und Frau Kruse, die echte menschliche Substanz zeigen, ist er eine formale Existenz, die nur ihrer Wirkung auf das Publikum lebt. Raabes Urteil erfolgt in aller Deutlichkeit. *Sie könnten mir eine Million bei so eine Haut wie deine legen, ich kröche dafür nicht hinein,* läßt er Uhusen sagen. Und der Schmerz des kleinen Wolf, den Degen seines Großvaters in solchen Händen zu wissen, ist die schärfste Form des negativen Urteils. Um so auffälliger ist es, daß Raabe diesem Brokenkorb eine Reihe von Zügen leiht, die gerade für ihn — Raabe — charakteristisch sind, zum Beispiel seine *hohe Fähigkeit, sinnlich wahrzunehmen*, seine Zitierfreude, seine Aufmerksamkeit für das Kleine.[295] Raabe läßt ihm auch volle Gerechtigkeit widerfahren, hebt seine positiven Seiten ebenso hervor wie seine Erfolge und schildert das glänzende Milieu, in dem er lebt. Trotz alldem fällt das Gesamturteil negativ aus. Auf diese Weise setzt sich Raabe mit dem Typus des erfolgreichen Literaten eingehend auseinander und zeigt dabei, daß er in sich selbst die Voraussetzungen für diesen Typus wußte. Die Entscheidung fällt eindeutig gegen die formale Existenz für die menschliche Substanz.

Es wird erzählt, Raabe sei einmal mit seiner Familie an einer schönen Villa vorbeigegangen. Da habe er gesagt: *So könntet ihr auch wohnen, wenn ich gewollt hätte. Ich habe aber nicht gewollt!* Zeugnis dieses Nicht-wollens ist Brokenkorb in *Im alten Eisen*.

In der Gestalt des Sumpfmalers Häseler hatte Raabe in *Der Dräumling* seine künstlerische Entwicklung, seine Absage an tragisches Pathos und seine Hinwendung zur Nüchternheit des Alltags zum Ausdruck gebracht. Die Dichtung war geboren aus der Krisis in der Zeit der Übersiedlung nach Braunschweig. Aus einer neuen Krisensituation, die der geringe Erfolg von *Pfisters Mühle* zeitigte, gibt sich Raabe erneut und vertieft Rechenschaft über sein Dichten und sagt ebenso allem Literatentum ab wie der nur milieugebundenen Darstellungsart des Naturalismus. Beidem setzt er – wie in *Pfisters Mühle* der industriellen Entwicklung – als das, was wirklich Bestand hat, den Menschen in seiner unveränderlich bleibenden Substanz entgegen.

DIE SPÄTEREN BRAUNSCHWEIGER WERKE

Pfisters Mühle und *Im alten Eisen* sind die letzten Selbstzeugnisse dieser Art, die sich in Raabes Werk finden. Von nun an geht er seinen Weg unbeirrt ohne weitere künstlerische Krisen.

In dem nächsten Werk, *Das Odfeld* [296], greift Raabe nach längerer Pause wieder zu einem geschichtlichen Stoff. Hier kommt diese Gattung, für die *Else von der Tanne* das erste Beispiel bot, zur Vollendung. In einer kurzen Erzählzeit von 24 Stunden ist eine erzählte Zeit gegenwärtig, die Jahrhunderte umfaßt. Mit völliger Souveränität hat Raabe auch den geschichtlichen Stoff gestaltet. Die Erzählzeit sind die 24 Stunden vom Vorabend einer Schlacht, die nach Raabes Darstellung am 5. November 1761, im vorletzten Jahr des Siebenjährigen Krieges, auf dem Odfeld – es liegt zwischen Eschershausen und dem Kloster Amelungsborn bei Stadtoldendorf – geschlagen wurde. Diese Schlacht hat in Wirklichkeit nicht stattgefunden. Raabe hat sie aber auch nicht frei erdacht. Er hat vielmehr die strategischen Pläne des Herzogs Ferdinand von Braunschweig, deren Gelingen die Franzosen durch rechtzeitigen Rückzug verhinderten, in seinem Werk realisiert und sie in die erzählerische Wirklichkeit transponiert. So hat er, «indem er nur den allgemeinen Rahmen der historischen Begebenheiten beibehält, aus seiner schöpferischen Phantasie ein großartiges Gemälde» gegeben, «das den Inhalt aller Kämpfe des Siebenjährigen Krieges in Niedersachsen in e i n e m Stimmungsbild zusammenfaßt»[297].

Durch das Getümmel dieser Schlacht irren vier Flüchtlinge unter der Führung des Noah Buchius, eines alten, unnütz gewordenen, emeritierten Schulmeisters, der bei der Verlegung der Klosterschule von Amelungsborn nach Holzminden – auch hier gestaltet Raabe die historische Wirklichkeit für seine Zwecke um – in Amelungsborn zurückbleiben mußte. Sie haben Amelungsborn vor den heranrückenden Franzosen verlassen, sie verbergen sich unter der Erde, sie begegnen dem Herzog Ferdinand und kehren schließlich nach Amelungsborn zurück bis auf einen jungen Menschen, Schüler des Buchius, der sich den Kämpfenden anschließt und fällt. Ja, Buchius findet seine Klause völlig unversehrt. So endet die Erzählung scheinbar resultatlos.

Um so wichtiger ist, was durch die Darstellung dieser ergebnislosen Flucht hindurch deutlich gemacht wird. Hinter den Vorgängen der Erzählzeit werden zahlreiche Schichten der erzählten Zeit sichtbar, mit dem Ergebnis, daß Schlacht, Flucht, Elend, Not und Tod Situationen des menschlichen Daseins sind, die ebenso immer wiederkehren wie die Möglichkeit für den Einzelnen, sich in ihnen zu bewähren. Wie sehr dabei die zeitlichen Grenzen aufgehoben werden und die Erzählung von einer Zeitstufe in die andere hinübergleiten kann, zeigt folgendes Beispiel [298]: *Der gute Junge hatte sein möglichstes getan* (1761), *daß er sich ... so lange dem Vater Anchises* (Zerstörung Trojas, angeblich 1176 v. Chr.) *gewidmet hatte* (1761). *Jetzo hörte er Creusen* (1176 v. Chr.) *schreien, und krachend schlug die Tür der Zelle* (1761) *des Bruders Philemon* (1631) *hinter ihm ins Schloß. Vergeblich rief sein väterlicher Freund und Lehrer seine Verblüffung und seine Klage ihm nach* (1761). *Abiit, evasit, erupit* (63 v. Chr.) *— ab ging er mit seinen achtzehn oder neunzehn Jahren, denn s i e schrie ...* (1761). Auch in die Zukunft kann geblendet werden, wenn zum Beispiel zu Selindes Traum zitiert wird, was *der Justizamtmann Bürger ... zehn oder elf Jahre später in die deutsche Literaturgeschichte ... hineinsang* [299], oder wenn auf das spätere Leben des Herzogs Ferdinand, des Herzogs von Broglio und anderer ausführlich verwiesen wird bis in die Zeit des napoleonischen Kaiserreiches hinein.[300] Die Beispiele für die Entschwerung der Zeit ließen sich leicht häufen. In die Vergangenheit reicht sie über alle geschichtliche Zeit hinaus bis in die Zeiten der Vorgeschichte, der Sintflut, ja bis in den Mythos hinein.[301] Ausdrücklich wird diese Aufhebung der Zeit festgestellt, als Buchius sich anschickt, den Franzosen, die in Amelungsborn eindringen, entgegenzugehen: *Magister Buchius nahm seinen Hut vom Haken und drückte ihn fest auf die Perücke. Er nahm seinen Stock aus dem Winkel. Wie ein richtiger alter Römer beim Einbruch der Gallier wollte er auf alles gerüstet und gefaßt sein. Es war auch nur ein Unterschied in der Zeitenfolge und im Kostüm.*[302]

Wie man sieht, werden die gleichen Mittel, mit denen in *Pfisters Mühle* die Zeit entschwert wird, auch jetzt angewandt. Dort wie hier dient die ironisch-artistische Aufhebung der Zeit dazu, zu zeigen, daß bei allem Wechsel der *Zeitenfolge* und des *Kostüms* die Grundsituationen des menschlichen Daseins wiederkehren — und die Möglichkeit, sich in ihnen zu bewähren. Nicht die zeitbedingten, veränderlichen Umstände sind entscheidend, sondern die von ihnen unabhängige menschliche Substanz. Dabei geht die «historische» Er-

zählung gegenüber der, die in der Gegenwart spielt, hinaus durch die Länge des Zeitraums, den sie durchsichtig und überschaubar macht. Deshalb ist ihre Beweiskraft besonders stark.

Aber auch eine Geschichte, die in der Gegenwart spielt, ermöglicht solche zeitliche Ausweitung. Das zeigt *Stopfkuchen*, das Werk, das nach dem Zwischenspiel *Der Lar*[303] auf *Das Odfeld* folgt.[304] Raabe hat *Stopfkuchen* wiederholt als sein *bestes Werk* bezeichnet. Man kann es in gewissem Sinne auch als Selbstzeugnis betrachten. *Nehmen Sie die rote Schanze* (Hauptschauplatz) *als die deutsche humoristische Weltanschauung und den dicken Schaumann* (den Helden) *als den dürren Raabe, so haben Sie eine ganz feine Symbolik!* schreibt Raabe an Paul Heyse.[305] Und in einem anderen Brief heißt es: *... und nachher sagen Sie es vielleicht den Leuten, wer da eigentlich unter der Hecke lag und die rote Schanze erobert hat und heute von ihr aus so die Welt um sich herumliegen sieht! Dies ist mein wirklich s u b j e c t i v e s Buch und ein Kunstwerk insofern, als nur wenige solches aus der Schnurre herausfinden werden.*[306] Aber anders als in *Pfisters Mühle* und *Im alten Eisen* ist *Stopfkuchen* Selbstzeugnis nicht in dem Sinne, daß Raabe seinen Standpunkt in einer Auseinandersetzung erringt und bestimmt. Der jetzt gesicherte Standpunkt findet so vollkommen in dem Kunstwerk Ausdruck, daß nach Raabes Meinung *nur wenige es merken werden*, und gerade darin sieht er die eigentliche künstlerische Leistung.

Stopfkuchen wird von einem Narrator erzählt. Dieser – Eduard

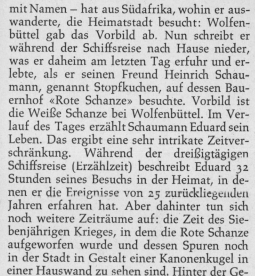

mit Namen – hat aus Südafrika, wohin er auswanderte, die Heimatstadt besucht: Wolfenbüttel gab das Vorbild ab. Nun schreibt er während der Schiffsreise nach Hause nieder, was er daheim am letzten Tag erfuhr und erlebte, als er seinen Freund Heinrich Schaumann, genannt Stopfkuchen, auf dessen Bauernhof «Rote Schanze» besuchte. Vorbild ist die Weiße Schanze bei Wolfenbüttel. Im Verlauf des Tages erzählt Schaumann Eduard sein Leben. Das ergibt eine sehr intrikate Zeitverschränkung. Während der dreißigtägigen Schiffsreise (Erzählzeit) beschreibt Eduard 32 Stunden seines Besuchs in der Heimat, in denen er die Ereignisse von 25 zurückliegenden Jahren erfahren hat. Aber dahinter tun sich noch weitere Zeiträume auf: die Zeit des Siebenjährigen Krieges, in dem die Rote Schanze aufgeworfen wurde und dessen Spuren noch in der Stadt in Gestalt einer Kanonenkugel in einer Hauswand zu sehen sind. Hinter der Geschichte werden in Versteinerungen und in den paläontologischen Forschungen Stopfkuchens die Vorgeschichte und noch frühere Zeitalter sichtbar. Auch hier findet die Relativierung der Zeit ihr Gegengewicht in der Einheit des Raums, eben der Roten Schanze, aber das Verhältnis ist insofern komplizierter, als sie zwar der Ort des wesentlichen Geschehens ist, aber als solcher doch von Eduard geschildert wird, dessen Schiff der eigentliche Raum der Erzählung bleibt. Inhalt der Erzählung ist im wesentlichen, wie Schaumann, ein Ausgeschlossener, zu dem Bauern der Roten Schanze und zu seiner Tochter findet. Dieser Bauer wird als Mörder verdächtigt und ist also ebenfalls ein Ausgeschlossener. Schließlich gewinnt Schaumann die Tochter und die Rote Schanze und macht diese zu einer Insel des Friedens und eines in sich ruhenden Glückes. Er läßt es sich nicht einmal stören, als ihm die Aufklärung der alten Mordtat gelingt, die man seinem Schwiegervater hatte anhängen wollen. So zeigt er, *daß man auch von der Roten Schanze aus aller Philisterweltanschauung den Fuß auf den Kopf setzen kann* [307]. Das alles erzählt Stopfkuchen in langen Reden. Auch hier ist das Wie des Erzählens entscheidend. «Eigentlich, wenn man nur je zehn Seiten des Buches zusammennimmt, steckt immer schon das Ganze drin. Und wird doch immer neu aufgehoben, und immer ist es etwas anderes. Als werde eine Kugel in die Hand genommen, und diese Kugel sei ein Menschendasein, und werde hingerollt und her, von einem unmenschlich breiten, sehr gutmütigen, sehr klaren und irgendwie unheimlichen Wesen. Immer rollt die

Kugel dieses einen Daseins, und immer entläßt sie neue Lichter und öffnet neue Hintergründe. Bringt das Besondere vor die Augen und macht das Allgemeine offenbar. Zeigt Oberfläche und Zufall und plötzlich merkt man, es ist ja Wesen und Notwendigkeit. Armseliges, Sonderbares, Lächerliches fällt wenig angenehm auf; sieht man aber genauer hin, dann ist es die bitterste, verschlossenste Not des Menschenlebens. Schrulligkeiten wandeln sich in Tiefen; Weisheit deutet und richtet und geht in Lächeln über; aus dem trüben Gedränge des Alltags blüht innige Schönheit, und der Besucher hat recht, wenn er sagt, es sei zum Lachen und Weinen zugleich.»[308] Und wieder erscheint Stopfkuchen, der *aller Philisterweltanschauung den Fuß auf den Kopf* setzt und ganz aus eigener Verantwortung lebt, äußerlich als Pfahlbürger und Philister. Umgekehrt ist der Erzähler, der weltweit gewanderte Eduard, innerlich der Philister. In dieser ironischen Umkehr wird das für Raabe charakteristische Doppelspiel sichtbar.

Raabe betrachtete *Stopfkuchen* als einen gewissen Abschluß seiner schriftstellerischen Tätigkeit. *Was sagt Ihr zu Stopfkuchen? Das wäre so ziemlich das Ende. So hätten wir, nachdem man uns länger als dreißig Jahre unter der Hecke hat liegen lassen, die Tür der roten Schanze hinter uns zugemacht!* schreibt er am 30. Dezember 1890 an Jensens.[309] In der Tat folgen die späteren Arbeiten langsamer aufeinander. Wenn er sich im nächsten Werk einem politischen Thema aus der Geschichte der deutschen Einigung zuwendet, so wird der unmittelbare Anstoß in der Entlassung Bismarcks (18. März 1890) zu suchen sein, den Raabe so sehr verehrte. *Gutmanns Reisen* schildert jene Versammlung des Deutschen Nationalvereins in Koburg, Herbst 1860, an der Raabe teilgenommen hatte. Die Handlung, die auf diesem Hintergrund spielt, allegorisiert durchsichtig die kleindeutsche Form der Einigung, die Bismarck dann 1866 und 1870/71 durchführte. Raabe empfand das Werk als eine Huldigung an Bismarck und nannte es eine *Bismarckiade. Wie viele geistreiche, treffliche, treue, eifrige Männer wußten in jenen Septembertagen 1860, w a s geschehen müsse, aber nur leider nicht, w i e. Der teure Name des Erlösers wird nur zweimal in dem Buche genannt; aber ich freue mich doch meiner – Bismarckias!*[310]

Auch in das nächste Werk, *Kloster Lugau*[311], spielen Ereignisse der deutschen Einigung, in diesem Falle des Krieges 1870/71 und die Überwindung der Mainlinie bedeutungsvoll hinein. Während der Arbeit an diesem Werk traf Raabe der Tod seiner jüngsten Tochter Gertrud (am 24. Juni 1892). *Gestern vor acht Tagen haben wir unsere Gertrud begraben, und so liegt nun mein junges schönes Kind zwischen allem, was bis jetzt noch gesund und frisch in mir war, und dem, was übrig geblieben ist. Das ist eine Schranke, die sich nicht wieder niederlegen läßt: Sie haben und finden nun in Wahrheit einen alten Mann an mir, wenn Sie mich einmal wieder besuchen. Das war eine Johannisnacht, in welcher Aurora uns unsere Sechzehnjährige entführte! Wir hatten trotz des Sturmes die Fenster of-*

1889

fen zu halten, und so kämpfte von Mitternacht an bis 6 Uhr morgens das Kind mit seinem Todesröcheln gegen das Geheul und Brausen da draußen. Um sechs Uhr stand das junge Herz still und war die Welt für uns eine andere geworden.

Möge Sie Ihr Schicksal in Ihrem Alter vor der Öde und Langweile bewahren, die nunmehr in meinem Hause dem Aufruhr gefolgt sind! –

Dazu ist der Schlag ganz wie aus heiterm Himmel gekommen. Diesem Kinde hatte nie etwas gefehlt, nie habe ich gedacht, daß es mir sterben könne ... Es war anfangs ein leichtes gastrisches Fieber, das auch bis zum Ende nie hoch stieg. Dann aber trat entsetzliches Kopfweh ein und, wie der Arzt sagte, «eine Reizung des Gehirns» ... Am Mittwoch (22. Juni) trat das ein, was wir Eltern glückselig für die günstige Krise hielten: tiefer Schlaf und warmer gesunder Schweiß; aber am folgenden Morgen enttäuschten uns die Doktoren, indem sie der Sterbenden Augenlider hoben und dartaten, daß es schon der Schlaf der Bewußtlosigkeit sei. Das ist die Geschichte vom Sterben unseres Kindes, und wie kann ich je wohl wieder anfangen, humoristische Romane zu schreiben.[312]

Welche einschneidenden Folgen der Tod der Tochter für Raabes Stellung bei den «Kleidersellern» hatte, wurde schon gesagt. Der Weg zum «Grünen Jäger» am Friedhof vorbei war für ihn unmöglich geworden. Es dauerte über ein Vierteljahr, bis er sich wieder zu einem Spaziergang entschloß, der nicht mit der Familie auf den Kirchhof führte, sondern den er mit seinen Freunden unternahm und an den anschließend er wieder im «Kleiderseller»-Kreise saß. Im «Feuchten Pinsel» ließ er sich erst nach mehr als einem halben Jahr wieder sehen. Die Produktion an *Kloster Lugau* ruhte fast zwei Monate und kam auch dann nur langsam vorwärts. *Seit dem Tode meines Kindes ist mein ganzes literarisches Geschäft ins Stocken geraten. – Mit der Arbeit will es noch immer nicht recht weiter.*[313] Unter diesen Umständen war es keine unliebsame Unterbrechung, daß er Ende November fast zwei Wochen dem Maler Hanns Fechner aus Berlin sitzen mußte. Das Ergebnis waren zwei eindrucksvolle Ölgemälde – heute im Städtischen Museum und in der Raabe-Gedenkstätte in Braunschweig –, eine Lithographie und mehrere Studien. Die schleppende Weiterarbeit an *Kloster Lugau* wurde zu Beginn des nächsten Jahres noch einmal für zwei Monate unterbrochen, als der Geburtstag der Tochter die Wunde erneut aufriß. Erst Monate später ist die Krise überstanden, wird die Erzählung zum Abschluß gebracht. Es beweist die Verpflichtung Raabes seinem Werk gegenüber und sein Arbeitsethos, wenn er es unter diesen Umständen über sich gewann, den begonnenen humoristischen Roman so zu Ende zu führen, daß man die Schwierigkeiten der Entstehung nicht merkt und nicht ahnt, *auf manchem Blatt des Buches könnte stehen: Scriptum in miseriis*[314].

Erst das nächste Werk, *Die Akten des Vogelsangs*[315], lassen etwas von der Verstörung spüren, in die der Verlust der Tochter Raabe versetzt hatte. Noch einmal entfaltet Raabe alle Künste seiner per-

spektivischen Erzählweise. In einer Erzählsituation, die Thomas Manns
«Doktor Faustus» präludiert, erzählt der Narrator, ein Durchschnitts-
bürger, das ihn faszinierende Leben seines Freundes, eines genial
begabten, unbürgerlichen Ausnahmemenschen, der letztlich scheitert.
Während aber in anderen Werken bei aller Tragik der Situationen
und Begebenheiten doch Lebensvertrauen überwiegt, und zwar in der
Form des Humors, fehlt dies hier völlig. Unter den größeren Werken stehen die *Akten* als tragischer Roman ganz allein, und unter
den kleineren muß man weit zurückgreifen, bis auf *Else von der Tanne*, um dieselbe Ausweglosigkeit der Tragik zu finden wie in dem
späten Roman. Auch an diesem Werk hat Raabe verhältnismäßig
lange gearbeitet, noch länger an dem letzten vollendeten Werk, *Hastenbeck* [316]. Noch einmal entsteht in langwierigem dreijährigem
Schaffen eine geschichtliche Erzählung, von Raabe selbst als *Gegen-
stück zu dem «Odfeld»* [317] empfunden. Wie dieses spielt *Hastenbeck*
im Siebenjährigen Krieg, und zwar in seinen Anfängen. Raabe schildert die Schicksale des Blumenmalers der Fürstenberger Porzellanfabrik Pold Wille und seines Mädchens auf der Flucht von der Weser
bis zum Harz. Wieder werden die Taten und Leiden der geschichtlichen Personen als Beispiele immer wiederkehrender Situationen und
menschlicher Verhaltensweisen verstanden. Das wird hier weniger
durch Entschwerung und Aufhebung der Zeit erreicht als durch die

*Wolfenbüttel: Kanonenkugel aus dem
Siebenjährigen Krieg in einer Hauswand*

dauernde zitierende Bezugnahme auf zwei zeitgenössische Werke, Salomon Geßners «Idyllen» von 1756 und Cobers «Der aufrichtige Kabinettsprediger» von 1711, die ihrerseits in überzeitliche Zusammenhänge weisen. Raabes viel geübte Zitierkunst wird hier in ihrer Eigenart und Eigenwilligkeit am höchsten gesteigert. Durch sie «wird eine übergreifende Konstellation von unterem und oberem Bereich, von Faktizität und Idealität der Wirklichkeit geschaffen. Die faktische Wirklichkeit wird dadurch nicht verflüchtigt, aber sie hat nicht das letzte Wort, sondern ist nur gültig innerhalb dieser Konstellation und in ihrem Bezug zu jenem anderen Wirklichkeitsbereich. Die Weisheit, mit der Raabe diesen Bezug nicht dialektisch zerredet, sondern in epischer Gestalt verwirklicht, ist die Weisheit eines Künstlers, ja sie ist recht eigentlich Kunstweisheit.» So Herman Meyer, der das Verständnis für diese Kunstübung überhaupt erst erschlossen hat.[318]

Mit *Hastenbeck* beendete Raabe einen Schaffensprozeß, der über vier Jahrzehnte mit unermüdlicher Arbeit gefüllt hatte. Er betrachtete und bezeichnete sich jetzt als *Schriftsteller a. D.* Zwar arbeitete er in den Jahren 1899 und 1900 noch an *Altershausen*[319], das er aber *im Grunde für* sich *allein zu spinnen begonnen hatte*[320], und das nach seinem Willen Fragment blieb. Nur einmal gewährte er dem Freund Brandes aus konkretem Anlaß Einblick in ein Kapitel. Das Fragment erschien nach dem Tode.

SCHRIFTSTELLER A. D.

Seit dem Ende der achtziger Jahre nahm der Erfolg von Raabes Werken zu. Neuauflagen erschienen, und das Interesse der Öffentlichkeit wuchs. Besucher, auch von auswärts, stellten sich ein, die Post schwoll an. Diese Forderung des Tages – Korrekturen, Korrespondenz, Anfragen und Besuche – nahm noch zu, als der 70. Geburtstag 1901 Raabe in den Mittelpunkt des Interesses rückte. Die Stadt Braunschweig veranstaltete eine offizielle Feier im Rathaus und überreichte den Ehrenbürgerbrief, ebenso die Geburtsstadt Eschershausen. Die Universitäten Göttingen und Tübingen machten Raabe zum Ehrendoktor, hohe Ordensauszeichnungen schlossen sich an. Beim Festessen am Nachmittag wurde eine Mappe mit Huldigungsblättern von Männern der Kunst und Wissenschaft überreicht. Am nächsten Tage feierten die «Kleiderseller» das Fest.

Die Tage des *Schriftstellers a. D.* verliefen ziemlich regelmäßig. Gelegentliche Unterbrechungen durch Reisen wurden schon erwähnt.[321] Da Raabe sehr spät zu Bett ging, pflegte er morgens lange zu schlafen und aß erst um 15 Uhr zu Mittag. Nach der Mittagsruhe gab es um 17 Uhr Kaffee. Von 17 bis 19 Uhr war er für Besucher zu Hause, dann ging er in den «Großen Club» zur Zeitungslektüre, von dort in die Herbstsche Weinstube in der Friedrich-Wil-

Wilhelm Raabe. Zeichnung von Hanns Fechner, 1892

Braunschweig: Leonhardstraße 29 a. Raabes letzte Wohnung

helm-Straße. Hier traf man ihn meist an, und mancher auswärtige Besucher, dem man die Bekanntschaft mit Raabe vermitteln wollte, wurde dorthin geführt – nicht immer zu Raabes Freude. *Heute war ein gräßlicher Kerl da, aber ich habe getan, als schliefe ich,* erzählte er einmal dem Schwiegersohn.[322] Bis um Mitternacht blieb Raabe und trank regelmäßig eine halbe Flasche Rotwein und einen Schlummerpunsch. Brachte ein Besucher ihn nach Hause, so zeigte er ihm die noch erleuchteten Fenster seiner Wohnung. Da wartete seine Frau mit einem Imbiß. Zweimal im Monat ging es sonnabends nach Klein-Stöckheim, wo sich im «Großen Weghaus» die «Kleiderseller» oder richtiger der Freundeskreis traf, zu dem sie sich entwickelt hatten. Auch im «Feuchten Pinsel» kehrte er noch gern ein. Wieder ist die äußerlich philiströse Gestaltung des Lebens unverkennbar.

Es sind aus diesen Jahren zwei Schilderungen überliefert, welche die Erinnerung an Raabe lebendig festhalten. Die eine Begegnung fand in Herbsts Weinstuben statt, die andere in Raabes Wohnung. Bei der ersten trafen sich Raabe und Detlev von Liliencron. Norbert Jacques, der Liliencron begleitete, hat sie beschrieben.[323] Die beiden Dichter sitzen bei Herbst. «Liliencron schaute Raabe fast unablässig an. Drehte er sich von ihm weg, so war es nur, um mir zu sagen: ‹Da ist er! Da sehen wir ihn nun! Wie er aussieht!› Seine Blicke lagen zärtlich und verliebt auf dem alten Meister; er war wie ein begeistertes Mädchen, hingebungsvoll, schüchtern, glückselig! Und auch der Alte schaute oft hinüber mit seinem Blick, der wie ein stillstehendes Lächeln war, und sagte mehrmals: ‹Es freut mich, daß wir noch einmal zusammengekommen sind!› Die beiden deutschen Dichter hielten ihr Gefallen aneinander naiv und köstlich wie auf den Händen sich entgegen. Der Dichter der stillen Stuben, der beschau-

Das Arbeitszimmer in der Leonhardstraße

Mit Frau und Schwester Emilie, 1892

Hermann Hesse

lichen Heckenwege und der Dichter der in Licht und Luft und Wind aufgelösten Ritte. Der eine: Zwinkern und Funkeln in den Augen von der Sonne flachen Landes; der andere mit einem gemessenen Temperament, mit einem Lächeln, das nicht wich, das viele liebe deutsche Dinge in sich trug, braun beleuchtet war wie seine Stuben und wie ruhiges Laub am Baume an ihm grünte. Der eine mit Wörtern, die wie Perlen in einer Rinne kullerten; der andere mit einem bedächtig auftretenden, ich möchte sagen, ‹angeräucherten› Sprechen, währenddem die Augen sich wie zu einem Versteckspiel zukneifen konnten. Die Mücke des Bartes sträubte sich unter der Lippe wie bei einem gutmütigen Landsknecht. Die Unterhaltung ließ er manchmal auf einem Gegenstand liegen, hartnäckig wie ein Schwabe. Und es standen List und Frohsinn, Güte und Verbissenheit, Ernst und Humor in allen Falten des Gesichts. Man liebte das Erkennen, die viele liebereiche Beschäftigung mit den Dingen und die feste Bürgerlichkeit, die diese Blicke verraten mußten. Er erzählte von der Stadt, in der er

Detlev von Liliencron

wohnte, von allem, was er ins Gespräch nahm, wie von einem Blumengarten, in den man alle Liebe versenkt und in dem man schon jedes Blättlein in den Fingern gekost hat. Es war auch ein wenig Glanz von Rotwein auf seinen Zügen; der stille, gebräunte, spottlustige Duft aus seinen Geschichten lag wie etwas vertrautes Deutsches darin; wie etwas, das auf Äckern, im Wald und in den Stuben gleichermaßen zu finden ist... Das alles wurde mit manchem Glas Château Beychevelle gewürzt, und drüben am Tisch waren wie ein Hag seine lieben Braunschweiger Spießbürger und Freunde, die in Wirklichkeit nicht weniger liebenswürdig und wert sind als ihre Kollegen in den Geschichten. Dann schied man. Es war ein Uhr vorbei. Der eine Dichter fuhr in der Nacht nach Hamburg zurück. Wir begleite-

Raabe, 1906

ten ihn zum Bahnhof. Raabe sah ich dann allein mit seiner hohen, hageren Gestalt, den schwarzen Kalabreser, der hoch und spitz ist wie ein deutscher Kirchturm, über den Kopf gestülpt, mit seinen langen Beinen romantisch in die Dunkelheit einer alten Gasse hineingehen.» Die Begegnung fand im Winter 1907/08 statt.

Zwei Jahre später liegt der Besuch Hermann Hesses bei Raabe (25. Oktober 1909). Der Bericht darüber ist die eindringlichste und sicher auch zuverlässigste Schilderung des alten Raabe. Hesse suchte Raabe in seiner Wohnung auf[324]: «Die Stunde kam, ich fand mich in Raabes Hause ein, es war schon sehr abendlich und dämmerte stark. Ich habe keine Erinnerung mehr an das Haus, nur an das Zimmer, in das ich über eine Treppe geführt wurde. Da stand in der Dämmerung eine sehr große hagere Gestalt, mit dem Anzünden einer kleinen Erdöllampe beschäftigt; sie wandte sich mir zu, nach Bildern erkannte ich Raabes Gesicht, und doch war es anders als auf den Bildern. Schmal und sehr hoch, in einem langen Schlafrock, stand die friedliche und auch feierliche Gestalt, und von ihrer Höhe blickte ein altes, faltiges, spöttisch-kluges Gesicht zu mir herab, sehr lieb und freundlich und doch ein Fuchsgesicht, schlau, verschlagen, hintergründig, das greise Gesicht eines Weisen, spöttisch ohne Bosheit, wissend, aber gütig, altersklug, aber eigentlich ohne Alter, woran auch die aufrechte Haltung der Gestalt teilhatte, ein Gesicht, ganz anders und doch dem meines Großvaters verwandt, aus derselben Zeit, von derselben herben Reife, von beinahe derselben Würde und Ritterlichkeit, welche ein vielfältiges Spiel alter erprobter Humore überflog und milderte.

Er sprach leise, hieß mich willkommen, deutete an, daß er ungefähr wisse, wer ich sei, und lud mich zum Sitzen ein. Auch er setzte sich, stand aber bald wieder auf, ging hin und her, rückte an der Lampe, und so sieht ihn meine Erinnerung heute noch: in einer kleinen dämmerigen Stube, Bücher auf dem Tisch, Bücher an den Wänden, stehend, sehr groß und aufrecht, aus milden, aber übermenschlich klugen Augen auf mich niederblickend... Ich hatte diesen alten Mann schon oft lieb gehabt und hätte ihm jetzt gerne sagen mögen, wie gut ich viele seiner Bücher kenne und wie sehr ich ihn verehre, aber man sagt das einem solch schlauen, alles schon wissenden, alten, ehrwürdigen Zauberer nicht so leicht, es kommt sich da jedes Wort der Verehrung, noch eh' es gesprochen ist, schon erraten und belächelt vor und will nicht mehr aus dem Munde... Als ich wieder ging und er oben an der Treppe stand, der ohnehin hochgewachsene und durch meine Verehrung noch vergrößerte Mann, sah ich im Niedersteigen noch mehrmals zu ihm empor, mit der innigsten Liebe und Bewunderung, zu ihm, dessen schöne langgestreckte Hand die ‹Akten des Vogelsangs› geschrieben hatte und ‹Pfisters Mühle›. Der Abschied war mir schwer gefallen. Draußen war es schon Nacht...»[325]

DAS ENDE

Am ersten Sonnabend des August 1909 war Raabe zum letztenmal auf dem Weghaus. Bald nachher reiste er zu seiner Tochter und dem Schwiegersohn Wasserfall nach Rendsburg. Nachdem er dort in den ersten Tagen noch viele Ausflüge unternommen hatte, wurde er am 19. August in der Nacht *bewußtlos*, tat einen *Fall aus dem Bette*[326] und zog sich einen Schlüsselbeinbruch zu. Er fühlte sich gelähmt, elend.[327] Später bezeichnet er dies als *Anfang des Endes*. Auch nach der Rückkehr nach Braunschweig fühlte er sich krank, und es dauerte lange, bis er wieder den «Großen Club» aufsuchte oder sich in Begleitung seiner ältesten Tochter in Herbsts Weinstuben wagte. Er las viel, aber nur Bücher, die er in seiner Jugend gelesen hatte. Im Januar 1910 starb seine Schwester Emilie, der er sich sehr verbunden fühlte. Im März brachte eine Erkältung ein schmerzhaftes Blasenleiden, das ihn ans Haus fesselte. Noch erlebt er die Freude, daß ihm am 7. August auf dem Großen Sohl im Hils bei Eschershausen das erste Denkmal errichtet wird und daß ihm die Universität Berlin anläßlich ihrer Hundertjahrfeier den Dr. med. h. c. verleiht. Am 19. Oktober schreibt er: *Der geistige und körperliche Krüppel ist vollständig bei mir in die Erscheinung getreten.*[328] Vom 2. November datiert die letzte Tagebucheintragung. Er lag, scheinbar ruhig dahindämmernd, in Wirklichkeit immer noch beobachtend, jetzt nur noch sich selbst. In der letzten Nacht hörte seine Tochter ihn deutlich sagen: *Ist er denn noch nicht tot?* Am 15. November 1910 gegen Abend kam das Ende, genau 56 Jahre nach dem Beginn der *Chronik der Sperlingsgasse.*

Dem Begräbnis folgte eine zahllose Trauergemeinde. Ein Augenzeuge berichtet [329], «was von diesem Begräbnis im Gedächtnis des Sekundaners für immer haften blieb. Da sehe ich mich denn auf der Empore der unschönen neugotischen Friedhofskapelle stehen, eingeklemmt zwischen die Brüstung und einen grauen Pfeiler. Über die Trauerversammlung blicke ich hin zu dem Pastor, der die Leichenpredigt hält. Ich weiß nichts mehr von der Trauergemeinde, ich weiß nicht, wer der Prediger war, ich erinnere mich keines seiner Worte, nur der Schriftvers ist mir im Gedächtnis haften geblieben, über den

Raabes Grab

die Predigt ging, die Worte aus dem ersten Buch Mosis, die der Herr zu Abraham spricht und die hier nun auf Raabe bezogen werden: ‹Ich will dich segnen, und du sollst ein Segen sein.›

Dann bin ich in der Nähe des Grabes, um das das Trauergefolge sich drängt. Ich stehe etwas erhöht, und über der Mauer von Köpfen und Schirmen – denn es ist ein trüber, regnerischer Novembertag – sehe ich das Haupt von Wilhelm Brandes schweben, des besten Freundes des Entschlafenen. Er ist barhaupt, sein Haar flattert im Wind, ein weißes Seidentuch schließt das volle, rötliche Gesicht unten ab. Und so spricht er denn jene Worte am Grabe, die später mehrfach gedruckt sind und von denen mir heute noch der erschütterte und ergreifende Tonfall im Ohr haftet und drei Worte, mit denen er den toten Dichter anredet: ‹Du Deutschlands Gewissen!›

Und dann das dritte Bild. Ich weiß nicht, ob es zeitlich vor oder hinter das eben beschriebene gehört. Hermann Anders Krüger, der Raabe-Forscher und Schriftsteller, tritt als Vertreter des Deutschen Schriftsteller-Verbandes zum Grabe. Unter den Trauergästen, die durchaus nicht alle nach letzter Mode gekleidet sind – wie hätte es bei Raabes Begräbnis anders sein können ? –, fällt er mir auf durch die unwahrscheinliche Eleganz seines Zylinders und seines schwarzen Überrocks. Er trägt einen riesigen Kranz, dessen Rundung über die Häupter der Menge hinausragt, und er legt ihn mit wenigen schlichten Worten am Grabe nieder, die in Verse ausklingen. Es sind jene Verse, die der junge Student Raabe auf dem Friedhof am Kreuzberg fand, die Grabschrift Lortzings, die er dann in die ‹Chronik der Sperlingsgasse› aufnahm und die nun über sein Grab hintönen:

> Sein Lied war deutsch und deutsch sein Leid,
> sein Leben Kampf mit Not und Neid.
> Das Leid flieht diesen Friedensort,
> der Kampf ist aus. Das Lied tönt fort.»

WIRKUNG

Die Wirkung von Raabes Werk ist ebenso mehrschichtig wie seine Arbeitsweise und seine Persönlichkeit. Jene eigentümliche Spannung zwischen Künstlertum und Philisterium bestimmt auch die Reaktion der Leser und Forscher. Aber diese wird durch weitere Faktoren modifiziert. Der eine ist die Tatsache, daß Raabe erst im hohen Alter bekannt wurde. Ein stärkeres Interesse setzt erst in den neunziger Jahren ein, als der Autor schon an seinen letzten Werken schreibt. Deshalb wird er von damals bis heute als greiser, bärtiger Mann gesehen, als «der alte Raabe». Daß er zu der Zeit, da er den größten und wichtigsten Teil seiner Werke schrieb, eine männlich schöne Erscheinung war – wie Marie Jensens Zeichnung den fast Fünfzigjährigen zeigt –, trat nicht ins allgemeine Bewußtsein, dem sich nur das – noch dazu ins Philiströse stilisierte – Bild des *Schriftstellers a. D.* einprägte.

Dazu kommt als zweites die Art der Wirkung, die von Raabe ausging.[330] Wie zahlreiche Äußerungen der Mitlebenden und Freunde bezeugen, von denen ich nur Brandes' Verse zitiere:

> Manch wirkend Werk hat er der Welt gegeben,
> noch eines uns – sein stilles, tapferes Leben [331],

sah Raabes Umgebung seine Wirkung zunächst als Wirkung der Persönlichkeit, nicht als die des Werkes, das in erster Linie als Ausdruck eben dieser Persönlichkeit empfunden wurde. Hier war einer, der mit allen Nöten und Schwierigkeiten des Lebens fertig geworden zu sein schien, und dazu ein Mensch wie ich und du, der sein Leben wie ein Philister führte und dabei das Leben gemeistert hatte.

Solche Wirkung führt, wie Parallelen zeigen, notwendig zur Gemeindebildung. Diese Gemeinde Raabes konstituierte sich gleich nach des Dichters Tode in der Raabe-Gesellschaft, die sich zunächst Gesellschaft der Freunde Wilhelm Raabes nannte. Der erste Satzungsentwurf sieht in der Gesellschaft den Zusammenschluß derer, die Raabe «nachleben» wollen, und gliedert die Gesellschaft in «Raabe-Gemeinden»[332]. Mit dem «Nachleben» ist auch eindeutig ausgesprochen, daß Raabe hier in erster Linie ethisch gedeutet wurde. Diese Gesellschaft hat für das Verständnis des Dichters sehr viel getan; gründliche wissenschaftliche Arbeiten, vor allem auf dem Gebiet der Quellenforschung, erschienen in ihren «Mitteilungen». Der esoterische Charakter — die «Mitteilungen», die die Gesellschaft herausgab, waren nur für Mitglieder bestimmt — ist ebenso deutlich wie ein typischer Hang zur Raabe-Orthodoxie. Kritik an Raabes Werken hat in den «Mitteilungen» kaum Platz. Im Widerspruch zu Raabes eigenem Urteil über die frühen Werke und Kinderbücher genoß das Werk als ganzes liebevolle Bewunderung. Dieses Fehlen jeder Kritik verstellte den Blick auf den langen Weg, den Raabe in nie nachlassender künstlerischer Selbstzucht gesucht hat und in immer neuen Ansätzen gegangen ist und der schließlich zur künstlerischen Höhe des Spätwerks führte. Der Wunsch nach Lebenshilfe ließ mehr auf den Inhalt als auf die Form sehen und führte zu einseitig ethischen Deutungen. Das künstlerische Phänomen Raabe, das auch die gutwilligen Zeitgenossen kaum erkannten oder überhaupt nicht verstanden, blieb so gut wie völlig außerhalb einer Betrachtungsweise, der es in erster Linie nicht auf Erkenntnis und Verstehen, sondern auf Erbauung ankam.

Es ist leicht, diese Form der Wirkung einfach als Mißverständnis abzutun. Aber damit ist nicht erklärt, wie es zu diesem Mißverständnis überhaupt kommen und wie es sich so lange behaupten konnte. Das ist aber für das Verständnis des Dichters wichtig. Wenn wir von Auswüchsen absehen, wie dem Abgleiten eines Teiles der Gesellschaft in die Ideologie des Nationalsozialismus, das aber nicht allgemein war — es gab auch Ortsvereinigungen, deren Vorstand dem Druck der Machthaber weichen mußte —, handelt es sich um eine durchaus legitime Wirkung: um jenen Raabe, der den alten Kampf gegen das Philisterium in der Lebensform des Philisters vollzog.

Einer solchen Ausstrahlung der Persönlichkeit, der das Werk untergeordnet wird, sind erfahrungsgemäß bestimmte zeitliche Grenzen gesetzt; sie reicht selten über zwei Generationen hinaus. So wird, beginnend schon in den dreißiger Jahren, eine zweite Welle der Wirkung deutlich, die nun ganz vom Werk ausgeht. Guardinis Stopfkuchen-Essay (1932) ist nur das sichtbarste Zeichen einer neuen Betrachtungsweise, die sich auch innerhalb der Raabe-Gesellschaft in den dreißiger Jahren bemerkbar macht. Sie hat zur Folge, daß die Raabe-Gesellschaft sich nach dem Zweiten Weltkrieg in eine wissenschaftlich-literarische Gesellschaft wandelte. Gleichzeitig wird die neue Entwicklung durch eine Internationalisierung der Raabe-Forschung gekennzeichnet. Wichtige neue Erkenntnisse werden Forschern in Holland, England, den USA und Kanada verdankt. Jetzt geht es in

Wilhelm Raabe (1831~1910) は Braunschweig の Eschershausen
生れた. この小さな町は, 中部ドイツの Harz 山脈の西, Hilsgebirge
山腹にある美しい保養地である. 父 Gustav はその地の裁判所に書
言として勤務する有能な法律家であったが, ラーベの誕生後間もな
Weser 河畔の Holzminden に変って陪席判事となり, 1842 年 Holz-
nden の近くの Stadtoldendorf に移った. そこでラーベは 14 才の
父の死に会い, 長男として, 父の 100 ターレル程の寡婦年金と僅か
かりの遺産の利子で暮す母親の負担とならぬよう, 大学進学を諦め
ばならなかった.

父の死後一家をあげて Wolfenbüttel に移っていたが 1848 年
kunda の生徒の時, Schleswig-Holstein の紛争に参加する義勇兵の
動を目撃し, その町の運動に参加し, 感受性豊かな少年を強く刺戟
卒業前に学校に別れを告げ, 読書欲の旺盛な彼の性質に適した職
が選ばれ, Magdeburg で本の販売を学ぶために Creutz 書店に住
込んだ.

この Magdeburg の 4 年間に彼は自国の古典とヨーロッパ各国の文
を渉猟し, 併せて Magdeburg の町の持つ歴史的事蹟を詳しく跡付
ことが, 文筆をもって立つ彼の運命に大きな影響を与えたのであ
た. 1854年ベルリン大学に聴講生として入学し, 哲学科に籍をおい
ここで, Dr. Rudolf Köpke, Karl Ludwig Michelit, Richard
sius 等の講義を聴いて, 今迄学びとった知識に秩序と体系を与え
しかし, 一般学生より年長のラーベは大学で規則正しく授業を受
るには年を取り過ぎており, 大学でより, むしろベルリンの町, 当
新たに興隆の気運に向っていたプロシャの首都より多くを学んだの
あった.

856 年処女作 „Die Chronik der Sperlingsgasse" を Jakob Corvinus
いう筆名で自費出版し, 社会の多種多様の関係を考察し, 政治的事件
個人的なことを, 反動化政策時代のうっとうしい圧迫下にある民衆
姿を, ベルリンの Spree 通りという裏町の小市民社会に舞台を借り
描き出したのであった. 後の „Die Leute aus dem Walde (1863) の
ューガン「横丁に気を付けよ」と「星を仰げ」に象徴化して社会の
隅みに生きる小市民の運命を, 深い人間愛と辛辣なイロニー, あ
たかいフモールを持って描く作家の道を踏み出した. この作は
bel によっても激賞され, 将来を嘱望され, 文筆家として立つ彼の

erster Linie um die Aufhellung und das Verständnis der künstlerischen Form. Das Ergebnis ist die Einsicht, wie überraschend modern diese Form ist.[333] Diese Modernität erklärt, weshalb die meisten Zeitgenossen und die unmittelbar auf Raabe folgende Generation die Artistik dieser Form überhaupt nicht gewahrten und deshalb auch ihre existentielle, nicht ethische Aussage über den Menschen nicht vernahmen.

Eine Sonderstellung nimmt die sehr lebendige Raabe-Forschung des dialektischen Materialismus ein. Sie wird 1940 durch Georg Lukács eröffnet, der zuerst die marxistische Auffassung von Kunst und Geschichte auf Raabe anwendet.[334] In seinem Gefolge hat sich eine umfangreiche Raabe-Literatur entwickelt, die ihn und sein Werk nur unter gesellschaftlichen Kriterien betrachtet und, nicht ohne eine gewisse Scholastik, die vorgegebenen Wahrheiten des Marxismus in Raabes Werk wiederfindet. Ihr eindrucksvollstes Zeugnis ist Richters Einleitung zu der sechsbändigen Auswahlausgabe.[335]

Von diesen verschiedenen Wirkungen Raabes auf die Nachwelt kann nicht eine als die allein richtige verabsolutiert werden. Sie alle sind legitime Wirkungen seines Werkes.

Der alte Proteus entschlüpft wieder einmal unsern haltenden Armen: er behält nur zu gern all sein Wissen des Vergangenen, Gegenwärtigen und Zukünftigen für sich allein.[336]

ANMERKUNGEN

Raabes Werke werden nach der «Braunschweiger Ausgabe» (hg. von Karl Hoppe 1951 f) zitiert, und mit Band und Seite (z. B. 1, 52) bezeichnet. Wo diese Ausgabe noch nicht vorliegt, wird nach der achtzehnbändigen Ausgabe (Berlin 1913–16) zitiert, und zwar nach Serie, Band und Seite (z. B. I 2, 400).

Br. F.   = In alls gedultig. Briefe W. Raabes hg. von W. Fehse. Berlin 1940
Fairley   = Barker Fairley: Wilhelm Raabe. Oxford 1961 (Übertr. von H. Boeschenstein. München 1961)
Fehse   = Wilhelm Fehse: W. Raabe. Sein Leben und seine Werke. Braunschweig 1937
Gedenkbuch = Raabe-Gedenkbuch. Berlin 1921
Hartmann   = Fritz Hartmann: W. Raabe. Wie er war und wie er dachte. 2. Aufl. Hannover 1927
Heeß   = Wilhelm Heeß: Raabe. Seine Zeit und seine Berufung. Berlin (1926)
Helmers   = Hermann Helmers: W. Raabe. Stuttgart 1968
Hoppe   = Karl Hoppe: W. Raabe. Beiträge zum Verständnis. Göttingen (1967)
Jb.   = Jahrbuch der Raabe-Gesellschaft. Braunschweig 1960 f
Mitt.   = Mitteilungen der Gesellschaft der Freunde W. Raabes (Raabe-Gesellschaft). 1911 f
Ohl   = Hubert Ohl: Bild und Wirklichkeit. Heidelberg (1968)
Pongs   = Hermann Pongs: W. Raabe. Heidelberg (1958)
RinS   = Raabe in neuer Sicht. Hg. von Hermann Helmers. Stuttgart (1968)
Tgb.   = Tagebuch Wilhelm Raabes. Handschrift im Besitz der Erben Raabes

1 «Über Land und Meer» 5, 1862, 391 f
2 Br. F. S. 23
3 «Der Heidjer» 1906 u. ö., z. B. «Gesammelte Werke». Hg. von H. J. Meinerts. III, 1003
4 Mitt. 26, 1936, 71; 103
5 Br. F. S. 265; 287
6 Br. F. S. 286
7 Gedenkbuch 3
8 Mitt. 16, 1926, 121
9 Br. F. S. 134 (1874)
10 Br. F. S. 352 (1901)
11 Br. F. S. 136
12 20, 224 (1899); ähnlich intensiv 14, 19 (Alte Nester)
13 Br. F. S. 59 (1867)
14 14, 164–169
15 Mitt. 17, 1927, 197 Anm.
16 Br. F. S. 287
17 Lau a. a. O. 402. Vgl. das alte

Haus in Die Kinder von Finkenrode. III, 2, 63 f; 81 f
18 17, 15
19 Lau a. a. O. 402
20 20, 196
21 Lau a. a. O. 402
22 Br. F. S. 205 f
23 Br. F. S. 1
24 W. Brandes' Tagebuch im Stadtarchiv Braunschweig
25 Br. F. S. 277
26 17, 410
27 Mitt. 4, 1914, 71
28 I 4, 412
29 Br. F. S. 59
30 20, 268
31 Gedenkbuch 6
32 Br. F. S. 22
33 Br. F. S. 23
34 Jb. 1966, 58
35 Mitt. 1, 1911, 41

36 Mitt. 3, 1913, 69
37 6, 86; Jb. 1967, 111
38 Hoppe, W. Raabe als Zeichner 69
39 Hoppe, ebd. 75
40 1, 272 (1857); vgl. die ironischen Stellen 9, 2, 392; 18, 221 f
41 20, 257
42 Br. F. S. 22
43 Br. F. S. 22
44 0. S. 7
45 4, 143 (1889)
46 Raabe-Kalender 1914, 143
47 Tgb. 8. 7. 1877
48 Hartmann 56
49 W. Scholz, Fünfzehn Jahre mit W. Raabe 30
50 20, 508
51 Br. F. S. 22
52 7, 39 u. ö.
53 18, 133
54 Mitt. 20, 1930, 103
55 6, 200
56 Br. F. S. 22
57 Mitt. 44, 1957, 13
58 13, 173
59 9, 2, 149
60 Hoppe 11; Lorenz, Jb. 1961, 40 f
61 Br. F. S. 388
62 Baß, Raabe-Kal. 1914, 76; Lorenz, Jb. 1961, 45; 1965, 125
63 Br. F. S. 22
64 1, 11
65 1, 17
66 1, 11; 17; 13
67 1, 428
68 Hoppe 91
69 Fairley 182 (172); Ohl 92
70 1, 162
71 Ohl 93
72 H. Meyer, RinS 102
73 Werke Berlin 1904, Bd. 12, 213
74 z. B. 1, 69
75 z. B. 1, 94 f
76 z. B. 1, 28; 165. Vgl. H. Richter in: Der junge Fontane. Dichtung, Briefe, Publizistik. Berlin–Weimar 1969, 643 f
77 1, 257; 266; vgl. 190
78 I 2, 357; 6, 176
79 1, 95 f
80 2, 243
81 1, 430
82 W. Brandes' Tgb. im Städt. Archiv Braunschweig

83 Br. F. S. 382
84 1, 432
85 Brief Diltheys v. 21. 1. 1860. Sitz. Ber. Berl. 1933 phil.-hist. X S. 26
86 Mitt. 3, 1913, 34 f
87 Mitt. 25, 1935, 43
88 Glaser, Raabe-Kal. 1914, 143
89 Hoppe 131
90 20, 482
91 0. S. 50
92 26. 6. 1893
93 Jb. 1966, 68
94 Hoppe 89
95 Hoppe 107
96 Hoppe 108
97 Hoppe 119
98 Hoppe 125
99 Genaue Inhaltsangabe Hoppe 134
100 Festgestellt Hoppe 87
101 Fehse, Westermanns Monatshefte Jg. 70 1925/6, Bd. 139 S. 543–550
102 9, 1, 85 (1863)
103 8, 260/1
104 Mitt. 20, 1930, 23
105 20, 258
106 9, 1, 210
107 Raabe in Hamburg. Hg. von H. Oppermann. 1967
108 9, 1, 199 (1864)
109 10, 456
110 10, 5
111 20, 350
112 18, 465
113 18, 209 (1892)
114 4, 479
115 Fairley 182 (172); Ohl 92
116 1, 173
117 Br. F. S. 123
118 II 2, 1
119 II 2, 218
120 14, 155
121 5, 5
122 Ohl 44
123 Br. F. S. 249; 324; 269
124 2, 243
125 I 4, 390
126 H. A. Krüger, D. jg. Raabe 128
127 I 4, 363
128 3, 413
129 4, 141
130 Mitt. 43, 1956, 19

131 4, 5
132 4, 480; 481
133 RinS 299
134 K. Fricker, Raabes Stuttgarter Jahre. 1939
135 Vgl. F. Notter, E. Mörike u. andere Essays (1966)
136 III 6, 541
137 17, 326
138 Br. F. S. 344
139 H. Hesse, Besuch bei einem Dichter in: Hesse, Gedenkblätter 1950. S. 93
140 Br. F. S. 248; Jb. 1966, 79
141 Mitt. 20, 1930, 102
142 Br. F. S. 38
143 Br. F. S. 411
144 Raabe in Hamburg. Hg. von H. Oppermann. 1967
145 Br. F. S. 339
146 Br. F. S. 147
147 Pongs 197
148 Tgb. 12. 10. 1866
149 Jb. 1966, 38
150 Br. F. S. 74
151 Zuletzt Else Hoppe Jb. 1966, 25; Helmers 6
152 Eckart 5, 1910/11, 377
153 vor allem Pongs 199
154 Lorenz, Jb. 1965, 125
155 Dazu Brief an Marie Jensen, Jb. 1966, 50
156 Br. F. S. 56
157 Raabes Abschiedsgedicht 20, 409
158 Tgb. 3. 5. 1865
159 Br. F. S. 67
160 Br. F. S. 41
161 Br. F. S. 45
162 Br. F. S. 60
163 Gedenkbuch 146
164 ebd. 141
165 Br. F. S. 366 (1902)
166 9, 2, 165
167 9, 2, 456
168 6, 5
169 7, 5
170 8, 5
171 8, 379
172 Jensen, Westermanns Monatshefte 4. Folge 2, 1879, 121; Wilhelm Raabe, 1901, 14
173 Mitt. 20, 1930, 96
174 9, 1, 241

175 H. Helmers, Die bildenden Mächte i. d. Romanen W. Raabes. 1960, 53
176 6, 439
177 6, 461
178 9, 1, 159
179 9, 1, 197; vgl. 195
180 9, 1, 456; 459
181 9, 1, 490/1
182 9, 2, 61
183 7, 5
184 7, 29; 84
185 7, 142; 208
186 7, 319; 341
187 7, 380
188 H. Meyer, Der Sonderling. (1963), 253
189 8, 5
190 8, 247
191 8, 316
192 Jb. 1962, 35; 1968, 70
193 8, 364
194 Tgb.
195 Tgb. 19. 7. 1870
196 Br. F. S. 96
197 Br. F. S. 97
198 11, 74
199 Tgb.
200 Tgb. 18. 10. 1870
201 A. H. Lehne, Braunschweiger Bilderbogen um 1880. ²(1949), 7
202 Br. F. S. 257; Hoppe 27
203 Über Nietzsche und Raabe. Boeschenstein, Dtsch. Gefühlskultur 2, 170; s. a. Heeß 196
204 o. S. 10
205 Jb. 1966, 50
206 Tgb. 21. 6. 1882; 30. 5. 1884
207 Br. F. S. 413 (1910)
208 Schultes in: W. Raabe, Frau Salome. 1909 (Hesses Volksbücherei 535/6), S. 6
209 12, 314
210 III, 6, 545. Vgl. Brandes, Raabe-Gedächtnisschrift, ²1913, 35
211 Brandes a. a. O. 43
212 20, 417
213 Brandes a. a. O. 63
214 Brandes a. a. O. 46
215 Mitt. 17, 1927, 178; Raabe-Kal. 1948, 138
216 Pongs 411; 413
217 Weniger, Die Sammlung 6, 1951, 348; 376

218 Br. F. S. 23
219 Brief an Heyse 1875, Hoppe 43
220 7, 42
221 7, 357
222 7, 357
223 6, 211
224 15, 413
225 Boeschenstein, Dtsch. Gefühls-kultur 2, 230; 247
226 18, 426
227 18, 197
228 18, 12
229 Weniger, Die Sammlung 6, 1951, 353
230 0. S. 91 f
231 9, 2, 255
232 9, 2, 323
233 Kunz, Jb. 1966, 7
234 9, 2, 373
235 10, 5
236 20, 350 f
237 10, 155
238 Hoppe 111
239 Meinerts, Mitt. 36, 1949, 77
240 10, 43
241 10, 205
242 9, 2, 379
243 Pongs 303
244 11, 5
245 Heeß 126
246 Martini in: Deutsche Dichter des 19. Jahrhunderts. Hg. v. Benno von Wiese. S. 538 f
247 11, 453 (G. Mayer)
248 Br. F. S. 99
249 Br. F. S. 134
250 Br. F. S. 349
251 12, 199
252 12, 103
253 11, 261
254 11, 357
255 11, 368
256 12, 199
257 11, 161
258 Westermanns Monatshefte 4. Folge 2, 1879, 119
259 S. Fliess, W. Raabe. 1912, S. 15, 1
260 Jb. 1968, 72
261 12, 293. Dazu Martini in: Liter. u. Geistesgesch. Festgabe H. O. Burger, 232
262 12, 398

263 11. Teil 2. Kap.
264 Mitt. 41, 1954, 102
265 Br. F. S. 298
266 13, 7; 173
267 14, 7
268 Hoppe 47
268 14, 275
270 15, 7; Jb. 1968, 52
271 Th. Mann, Der Zauberberg, Stockholmer Ausg. XXVI
272 10. 3. 1896. Aukt.-Kat. Stargard Marburg 588 Nr. 261, jetzt in Hannover
273 15, 389
274 Br. F. S. 210; 16, 520
275 Tgb. 5. 6. 1884
276 17, 412
277 17, 223
278 Die Akte W. Raabe. Hg. von Richter (1963), S. 9
279 Jb. 1962, 187; 186. Fontane (Nymphenburger Ausgabe) XXI/1, 274
280 16, 7
281 RinS 299
282 16, 17; dazu RinS 300
283 16, 63
284 17, 103
285 16, 175
286 16, 178
287 Meyer, RinS 118
288 16, 170
289 16, 179
290 31. 10. 1884; Fehse 489
291 Mitt. 28, 1938, 65
292 16, 339
293 Hoppe 121; 117
294 Br. F. S. 285
295 Einzelnachweis Raabe-Jb. 1950, 75
296 17, 5; Killy, RinS 229; Jb. 1967, 31
297 Weniger, Jb. 1966, 121
298 17, 95
299 17, 88
300 17, 181
301 z. B. 17, 161; 151; 162
302 17, 103
303 17, 221
304 18, 7; dazu R. Guardini, RinS 12; Hoppe 209; H. Meyer, RinS 108; Ohl, RinS 247
305 Hoppe 53
306 Br. F. S. 253

307 18, 197
308 Guardini, RinS 34
309 18, 464; vgl. Br. F. S. 257
310 Br. F. S. 275
311 19, 5
312 Br. F. S. 282, vgl. auch die folgenden Briefe
313 Br. F. S. 286 (26. 10. 1892); S. 288 (18. 12. 1892)
314 Br. F. S. 299
315 19, 211
316 20, 7. Über *Hastenbeck* zuletzt Hoppe 222
317 Br. F. S. 332
318 H. Meyer, Das Zitat i. d. Erzählkunst. ²(1967), 205
319 20, 203
320 Br. F. S. 415
321 o. S. 79
322 Gedenkbuch 19

323 N. Jacques, Liebesabend in Besigheim, 1918, 54 u. ö. Hier nach Mitt. 6, 1916, 114
324 H. Hesse, Gedenkblätter. 1950, S. 106
325 Der kurze anschließende Briefwechsel Hoppe 63
326 Tgb.
327 Tgb. 1. 9. 1909
328 Br. F. S. 421
329 Mitt. 43, 1956, 37
330 Mitt. 43, 1956, 38
331 Gedenkbuch 2
332 Mitt. 1, 1911, 10
333 Fairley, Mitt. 42, 1955, 74
334 Lukács, Die Grablegung des alten Deutschland (rowohlts deutsche enzyklopädie 276) S. 93
335 W. R., Ausgew. Werke 1, Berlin–Weimar 1966, 5
336 12, 289

ZEITTAFEL

1831 8. September: Wilhelm Raabe in Eschershausen geboren
1832–1842 Holzminden: Bürgerschule, Gymnasium
1842–1845 Stadtoldendorf: Stadtschule und Privatunterricht
1845 Tod des Vaters. Übersiedlung nach Wolfenbüttel
1845–1849 Wolfenbüttel: Große Schule (Gymnasium)
1849–1853 Buchhändlerlehrling in Magdeburg
1853–1854 Wolfenbüttel: das angestrebte Abitur nicht erreicht
1854–1856 Berlin: Hörer an der Universität
1854 15. November: Beginn der *Chronik der Sperlingsgasse* («Federansetzungstag»)
1856–1862 Wolfenbüttel
1856 Erscheinen der *Chronik der Sperlingsgasse* (Titelblatt 1857)
1857 Bekanntschaft mit Adolf Glaser. Reise nach Berlin. – *Der Weg zum Lachen* (Novelle) – *Ein Frühling* (Roman)
1858 *Der Student von Wittenberg* (Historische Novelle) – *Weihnachtsgeister* (Novelle) – *Lorenz Scheibenhart* (Historische Novelle) – *Einer aus der Menge* (Novelle)
1859 Reise nach Österreich und Süddeutschland. Schiller-Feier. – *Die Kinder von Finkenrode* (Roman) – *Die alte Universität* (Historische Novelle) – *Der Junker von Denow* (Historische Novelle) – *Wer kann es wenden?* (Novelle)
1860 Eintritt in den Deutschen Nationalverein. Dessen Tagung in Koburg. – *Aus dem Lebensbuch des Schulmeisterleins Michel Haas* (Historische Novelle) – *Ein Geheimnis* (Historische Novelle)
1861 Tagung des Nationalvereins in Heidelberg. Verlobung mit Bertha Leiste. – *Der heilige Born* (Historischer Roman) – *Auf dunkelm Grunde* (Skizze) – *Die schwarze Galeere* (Historische Novelle) – *Nach dem großen Kriege* (Historischer Roman)
1862 Heirat. Übersiedlung nach Stuttgart. – *Unseres Herrgotts Kanzlei* (Historischer Roman) – *Das letzte Recht* (Historische Novelle)
1862–1870 Stuttgart
1863 Tochter Margarete geboren. – *Eine Grabrede aus dem Jahre 1609* (Historische Novelle) – *Die Leute aus dem Walde* (Roman) – *Holunderblüte* (Novelle) – *Die Hämelschen Kinder* (Historische Novelle)
1864 Reise nach Wolfenbüttel, Lübeck, Hamburg, Kiel. – *Der Hungerpastor* (Roman) – *Keltische Knochen* (Novelle)
1865 *Else von der Tanne* (Historische Novelle) – *Drei Federn* (Roman)
1866 Freundschaft mit Wilhelm und Marie Jensen. – *Die Gänse von Bützow* (Historische Novelle) – *Sankt Thomas* (Historische Novelle) – *Gedelöcke* (Historische Novelle) – *Im Siegeskranze* (Historische Novelle)
1867 Reise durchs Weserland und über Wolfenbüttel nach Sylt. – *Abu Telfan* (Roman)
1868 Tochter Elisabeth geboren. Jensens verlassen Stuttgart. – *Theklas Erbschaft* (Novelle)
1869 Reise mit Jensens nach Bregenz und in die Schweiz. – *Der Schüdderump* (Roman)
1870 Übersiedlung nach Braunschweig. – *Der Marsch nach Hause* (Historische Novelle) – *Des Reiches Krone* (Historische Novelle)
1870–1910 Braunschweig

1871	Neubearbeitung von *Ein Frühling*
1872	Tochter Klara geboren. – *Der Dräumling* (Roman)
1873	*Deutscher Mondschein* (Novelle) – *Christoph Pechlin* (Roman)
1874	Tod der Mutter. – *Meister Autor* (Roman) – *Zum wilden Mann* (Novelle)
1875	Reise ins Weserland. – *Höxter und Corvey* (Historische Novelle) – *Eulenpfingsten* (Novelle) – *Frau Salome* (Novelle)
1876	Tochter Gertrud geboren. – *Die Innerste* (Historische Novelle) – *Vom alten Proteus* (Novelle) – *Der gute Tag* (Novelle, erschienen 1912) – *Horacker* (Erzählung)
1878	*Wunnigel* (Erzählung) – *Auf dem Altenteil* (Novelle) – *Deutscher Adel* (Erzählung)
1879	*Krähenfelder Geschichten* (Sammlung schon erschienener Novellen) – *Alte Nester* (Roman)
1880	Besuch bei Jensens in Freiburg. Mit diesen Reisen nach Basel und ins Elsaß
1881	*Das Horn von Wanza* (Erzählung)
1882	*Fabian und Sebastian* (Erzählung)
1883	*Prinzessin Fisch* (Erzählung)
1884	*Villa Schönow* (Erzählung). – Lösung der Verbindung mit dem Verlag Westermann. – *Pfisters Mühle* (Erzählung) – *Ein Besuch* (Novelle)
1885	*Unruhige Gäste* (Roman)
1886	Ehrengabe, später lebenslanger Ehrensold der Schiller-Stiftung
1887	*Im alten Eisen* (Erzählung)
1888	*Das Odfeld* (Historische Erzählung)
1889	*Der Lar* (Erzählung)
1890	Dauernde Verbindung mit dem Verlag Janke-Berlin (Deutsche Romanzeitung)
1891	*Stopfkuchen* (Erzählung)
1892	*Gutmanns Reisen* (Erzählung). – Tochter Gertrud gestorben – Fechners Raabe-Bilder
1893	Reise nach Süddeutschland
1894	*Kloster Lugau* (Erzählung)
1895	Reise nach Wilhelmshaven
1896	*Die Akten des Vogelsangs* (Roman)
1897	Reise nach Minden
1899	*Hastenbeck* (Historische Erzählung)
1899–1900	*Altershausen* (Fragment), erschienen 1911
1901	Ehrendoktor von Göttingen und Tübingen
1902	Reise nach Borkum
1907	Reise nach Niendorf an der Ostsee
1909	Reise nach Rendsburg. Erkrankung
1910	Dr. med. h. c. Berlin
	15. November: Wilhelm Raabe gestorben

ZEUGNISSE

WILHELM JENSEN

Raabe zählt zweifellos zu den tiefsinnigsten Denkern unserer Zeit. Das Gebiet seiner Forschung ist das Menschenleben, und er hat über alles gedacht, weiß alles, was dies von jeher bewegt hat und heute bewegt... Sein Verstand und sein Gefühl trachten nach der Erkenntnis der Wahrheit des Menschenlebens und dulden keine Täuschung von anderen, keinen gaukelnden Betrug vor sich selbst.

Westermanns Monatshefte. 1879

THEODOR FONTANE

Man sieht deutlich, daß W. Raabe ein *großes* erzählerisches Talent hat, aber nur ein mäßig ausgebildeter Künstler ist; die natürliche Form ist groß, aber Kritik und angeborenes Schönheitsgefühl haben gefehlt, und *weil* sie fehlten, nichts zu voller Reife kommen lassen.

All diese Dinge sind ganz ersten Ranges, und weder Dickens noch andere Humoristen, die ich kenne, haben *das* geleistet. Hätte Raabe mehr Kritik, so wäre er absolut Nr. 1; aber freilich – «wär er besonnen, wär er nicht der Tell».

Tagebuch und Briefe. 1881

HEINRICH HART

Darin besteht eben die Bedeutung Raabes für unsere Literatur, daß er das rein Menschliche wieder in ihr zur Geltung gebracht hat. Seine Gestalten... sind nichts als Menschen und wollen nur geliebt sein, weil sie da sind. Raabe führt keine Ethik mit sich, kein System, keine Formel, und doch sind seine Bücher der höchsten Ethik voll, weil ihnen allen im Grunde nur das Ewig Eine zu Grunde liegt: Menschenliebe.

Tägliche Rundschau. 1889

THEODOR HEUSS

Der Künstler Raabe geht darauf los, Individualitäten zu zeigen, eigengewachsene Leute mit Knorzen, Lebensschicksale sonderlicher Art. Das Streben zum Typischen, das die Literatur um ihn her zu bewegen begann, blieb ihm fremd...

Der Künstler arbeitet mit einer ganz bestimmten Methode. Nichts wäre falscher, als wenn man Raabe wie einen naiven Erzähler behandelt, der mit seinen Geschichten drauflos plaudert. Schon mit seiner barocken und zumeist höchst glücklichen Namengebung erweckt er beim Leser eine bestimmte geistige Atmosphäre, und wenn er dann als Autor selber so und so oft aus dem Lauf der Fabel heraustritt und zum Leser das Wort nimmt, so ist das weder saloppe Eitelkeit noch technische Hilflosigkeit, sondern ein ganz bewußtes Verfahren; in solchen Reflexionen, in denen er sozusagen wie der antike Chor zwischen Handlung und Hörer tritt, gibt er bisweilen seine feinsten Dinge. Eben weil er wenig Handlung zeigt, reicht er auch wenig in die Geschichte eingeborene Psychologie, und das ist ein Mangel – dafür setzt er die Figuren unter die wechselnde Beleuchtung seiner feinen Klugheit und betrachtsamen Lebensgescheitheit, daß aus dem Mangel ein Gewinn wird. Freilich macht diese Methode, die nicht vorwärtsgeht, manchem den ersten Weg in den Garten von Raabes Kunst nicht leicht; wer sich darin auskennt, weiß freilich, wie man sich hier mit schönen und behaglichen Genüssen zuerst findet.

Die Hilfe. 1910

JOSEF HOFMILLER

... an seinem Werk ist nichts Literatenhaftes. Neben ihm entstehen und vergehen literarische Moden: er macht keine mit, bekämpft keine. Familienroman, Professorenroman, Naturalismus – alle längst vorbei. Raabe steht außerhalb der Entwicklung. Jeder Versuch, ihn einer Schule, Gruppe, Zeitströmung zuzuweisen, trifft daneben.

Er war kompromißlos... Auch Raabes Art des Vortrags wird, je mehr er ganz er selbst wird, kompromißlos. Man hat das Gefühl, er schreibe nur für sich selbst, wenn er noch so oft den Leser direkt anspricht.

1931

HERMANN HESSE

... nun hatte ich... einen tiefen Respekt vor diesem Mann bekommen, dem einzigen dichterischen Darsteller des Deutschlands zwischen 1850 und 1880, dem träumerischen Fabulisten und zähen Kritiker, dem strengen und so warmherzigen Liebhaber seines Volkes. Und tieferen Eindruck noch als diese würdigen Eigenschaften hatten mir seine hintergründigen Humore gemacht, seine zähen Liebhabereien und Spiele, seine Vorliebe für Umwege und lange Gänge, seine Lust an wunderlichen und schwierigen Charakteren, seine Menschenkenntnis, hinter deren Schärfe und gelegentlicher Spottlust ein großer Glaube, eine große Menschenliebe zu stehen schien...

Die Literaturgeschichte spricht von ihm mit Achtung, sie kennt ihn, sie hat von ihm Notiz genommen, aber das Einmalige und Innigste seiner Dichtung, das eigentliche Wunder seiner Person und seines Wortes ist noch immer nicht eigentlich erkannt und als ewiger Wert anerkannt... Man wird vielleicht, in einem späteren Deutschland, ihn doch erkennen; er hat die Anwartschaft darauf, denn er hat jenes die Kritik verwirrende Plus, jene Dimension zuviel, die so schwer einzureihen ist und die sich mit der Zeit doch meistens durchsetzt.

Velhagen und Klasings Monatshefte. 1932/33

ROMANO GUARDINI

... Größe eigener Art; alles andere als klassisch; alles andere als klar oder gar monumental. Verzwickt ist diese Größe; mit vielfacher Reflexion und Ironie und seltsamer Dialektik in sich selbst verfaltet. Unberechenbar, fast chaotisch in der Linienführung, so daß man oft den Eindruck hat, der Erzähler lasse die Gedanken laufen, wie sie wollen; dennoch wacht ein sauberer Kunstverstand und lenkt Begebnisse, Bilder, Gedanken und Stimmungen bis in die feinsten Akzente, wie im Liniengewirr der alten Steinmetzen und Miniatoren.

Über W. Raabes «Stopfkuchen». 1932

GEORG LUKÁCS

So gestaltet der späte Raabe eine tief traurige Welt voller Enttäuschungen, Entgleisungen, Untergänge und Lebenslügen. Aber auch hier weicht er vor den äußersten Konsequenzen nicht zurück; er nennt die Flucht eine Flucht und das Luftschloß ein Luftschloß. Trotzdem entsteht auch hier kein Weltbild pessimistischer Verzweiflung, obwohl für Raabe kein realer Ausweg aus seinen Dilemmas sichtbar ist. Der Grund hierfür ist Raabes Volksverbundenheit.

Internationale Literatur. 1940

BARKER FAIRLEY

Wollten wir ein Allgemeinurteil über Raabes Stellung in der Literaturgeschichte wagen, so müßten wir erklären, daß er einen Graben überbrückt, den niemand sonst überbrückt. Auf der einen Seite wurzelt er in einer festen Gesellschaft und einer ebenso gesicherten Menschlichkeit, auf der anderen ist es ihm unmöglich, das, was er sagen will, in festgelegten, überkommenen Formen zu sagen. Er ist infolgedessen seiner Generation voraus in der Kunst der Erzählung, während er sich in seinem Wertgefühl eng an sie hält...

Was seine Romane zu solchen Kleinodien macht, das ist das Gefühl für das Lebendige, nicht seine Gedanken darüber.

Wilhelm Raabe. 1961

VOLKMAR SANDER

Wenn wir unter «modern» in der Literatur eine Einstellung verstehen, bei der die Schilderung bewußter und unbewußter innerer Vorgänge eine Vorrangstellung vor der Darstellung der äußeren Handlung einnimmt, bei der Ausdrucksnuancen und Variationen des auf das Intim-Private Beschränkten wichtiger sind als Kommunikation und die Vermittlung von «objektiven», allgemein verbindlichen Tatsachen, bei der schließlich die Welt dargestellt wird durch das Medium des Bewußtseins, das heißt nach dem Eindruck, den sie auf ein Individuum hinterläßt, so besteht kein Zweifel, daß eben dies das große Thema Raabes ist... Raabes Werk gehört damit zweifellos eher in die Nachbarschaft von Joseph Conrad, Melville, James Joyce und Th. Mann als in die seiner deutschen Zeitgenossen Stifter, Storm, Meyer, Freytag und Fontane. In dem Bestreben, Weltliteratur statt Stammeskunde zu betreiben, dem die Literaturkritik in steigendem Maße sich zuwendet, scheint es daher an der Zeit, das über die nationalen Grenzen des Deutschsprachigen Hinausgreifende im Werke Raabes zu erkennen.

Deutsche Romantheorien. 1968

BIBLIOGRAPHIE

Für häufig wiederholte Titel wurden die folgenden Abkürzungen gewählt:

Hoppe = Hoppe, Karl: W. Raabe. Beiträge zum Verständnis. Göttingen 1967
Jb. = Jahrbuch der Raabe-Gesellschaft. Braunschweig 1960 f
Mitt. = Mitteilungen der Gesellschaft der Freunde W. Raabes (Raabe-Gesellschaft) 1911 f
RinS = Raabe in neuer Sicht. Hg. von Hermann Helmers. Stuttgart 1968

1. Bibliographien

Meyen, Fritz: Wilhelm Raabe Bibliographie. Freiburg i. B.–Braunschweig 1955 (Wilhelm Raabe: Sämtliche Werke. Hg. von Karl Hoppe. Erg.-Bd. 1) – Ergänzungen und Nachträge zum vorigen. Jahrbuch der Raabe-Gesellschaft 1961 f
Oppermann, Hans: Berichte über neue Raabe-Literatur. In: Jahrbuch der Raabe-Gesellschaft 1960 f

2. Ausgaben

a) Gesamtausgaben

Sämtliche Werke. Ser. I, Bd. 1–6; Ser. II, Bd. 1–6; Ser. III, Bd. 1–6. Berlin (Klemm) 1913–1916
Sämtliche Werke. Ser. 1, Bd. 1–5; Ser. 2, Bd. 1–5; Ser. 3, Bd. 1–5. Berlin (Klemm) 1934
Sämtliche Werke. Im Auftrage der Braunschweigischen Wissenschaftlichen Gesellschaft hg. von Karl Hoppe. Bd. 1–20. Göttingen (Vandenhoeck & Ruprecht) 1951 f (Sog. Braunschweiger Ausgabe)

b) Auswahlausgaben

Ausgewählte Erzählungen. Berlin (Union) 1961
Werke in zwei Bänden. München–Zürich (Droemer) 1961
Werke in vier Bänden. Hg. von Karl Hoppe. München (Winkler) 1961–1963
Gesammelte Werke in drei Bänden. Hg. von H. J. Meinerts. Gütersloh (Mohn) 1962
Erzählungen. Hg. von H. H. Reuter. Leipzig (Dieterich) 1962; Bremen (Schünemann) 1962 (Sammlung Dieterich. 254)
Deutsche Scherzos. Sechs Erzählungen. Berlin (Nation) 1963
Meisterwerke. Bd. 1. 2. Leipzig (Insel) 1963
Ausgewählte Werke. Bd. 1–6. Berlin (Aufbau) 1964–1966
Klassische Deutsche Dichtung. Bd. 11: Romane und Erzählungen. Mit Nachw. von Fritz Martini. Freiburg i. B. (Herder) 1965
Berliner Trilogie. Deutscher Adel – Villa Schönow – Im alten Eisen. Hg. von H. Stolte. Hamburg (Holsten) 1965
Der Marsch nach Hause und vier weitere Erzählungen. Göttingen (Vandenhoeck & Ruprecht) 1965
Die schwarze Galeere. Vorwort und Auswahl von Hans Müller. Bukarest 1967

c) Einzelausgaben (Auswahl)

Abu Telfan. Berlin (Aufbau) 1961
Die Akten des Vogelsangs. Berlin (Ullstein) 1969
Der Heilige Born. Göttingen (Vandenhoeck & Ruprecht) 1968
Die Chronik der Sperlingsgasse. Berlin (Ullstein) 1966
Else von der Tanne. Stuttgart (Reclam) 1964
Unruhige Gäste. Berlin (Evang. Verl.-Anst.) 1961
Die schwarze Galeere. Stuttgart (Reclam) 1962
Horacker. Berlin (Aufbau) 1966
Das Horn von Wanza. Weimar (Kiepenheuer) 1965
Der Hungerpastor. München (List) 1968
Unseres Herrgotts Kanzlei. Berlin (Morgen) 1964
Die Leute aus dem Walde. Berlin (Aufbau) 1962
Zum Wilden Mann. Leipzig (Reclam) 1956
Meister Autor. Weimar (Kiepenheuer) 1969
Das Odfeld. Frankfurt a. M.–Hamburg (Fischer-Bücherei) 1962
Im Siegeskranze. Stuttgart (Reclam) 1963
Stopfkuchen. Hamburg (Rowohlt) 1954 (rororo. 100)
Wunnigel. Stuttgart (Reclam) 1961

3. Nachschlagewerke

JENSCH, FRITZ: Wilhelm Raabes Zitatenschatz. Wolfenbüttel 1925
SPIERO, HEINRICH: Raabe-Lexikon. Berlin 1927

4. Zeitschriften und Sammelwerke

Mitteilungen für die Gesellschaft der Freunde Wilhelm Raabes (ab 35: Mitteilungen der Raabe-Gesellschaft). Wolfenbüttel Jg. 1 f (1911 f)
Wilhelm Raabe Kalender. Berlin 1912–1914
Wilhelm Raabe Kalender. Goslar 1947; 1948
Raabe-Jahrbuch. Braunschweig 1949; 1950
Jahrbuch der Raabe-Gesellschaft. Braunschweig 1960 f
Raabe-Gedächtnisschrift. Hg. von H. GOEBEL. Leipzig 1912
Raabe-Gedächtnisschrift. Neue vollständig umgestaltete Ausgabe. Hildesheim 1931
Raabe-Gedenkbuch. Hg. von C. BAUER und H. M. SCHULTZ. Berlin 1921
Wilhelm Raabe und sein Lebenskreis. Hg. von H. SPIERO. Berlin 1931
Raabestudien. Hg. von C. BAUER. Wolfenbüttel 1925
HOPPE, KARL: Wilhelm Raabe. Beiträge zum Verständnis seiner Person und seines Werkes. Göttingen 1967
Raabe in neuer Sicht. Hg. von H. HELMERS. Stuttgart 1928 (Sprache und Literatur. 48)

5. Lebenszeugnisse und zur Biographie

In alls gedultig. Briefe W. Raabes. Hg. von W. FEHSE. Berlin 1940
FEHSE, WILHELM: Raabe und Jensen. Berlin 1940
Briefwechsel W. Raabe–Hans Freytag. Hannover 1952
Aus Raabes Briefwechsel. In: HOPPE, S. 39

Hoppe, Karl: Der handschriftliche Nachlaß Raabes. In: Hoppe, S. 130

Blume, Heinrich: Wien im Tagebuche W. Raabes. Mitt. 20 (1930), S. 23
Salzburg im Tagebuche W. Raabes. Mitt. 23 (1933), S. 52

Hoppe, Karl: Die Versammlung des Nationalvereins in Raabes Tagebuch. In: Werke (Braunschw. Ausg.) 18, 465

W. Raabe in Hamburg. Aus dem Tagebuch 1864. Hg. von H. Oppermann. Hamburg 1967

Lilienfein, Heinrich: W. Raabe und die Deutsche Schillerstiftung. In: Raabe u. s. Lebenskreis, S. 49

Die Akte W. Raabe. Hg. von H. Richter. Weimar 1963 (Veröff. a. d. Archiv d. Dtsch. Schillerstiftung. 4)

Hartmann, Fritz: W. Raabe. Wie er war und wie er dachte. 2. Aufl. Hannover 1927

Scholz, Wilhelm: Fünfzehn Jahre mit W. Raabe. Braunschweig 1912

Stegmann, Hans: Aus den Papieren eines alten Kleidersellers. Mitt. 20 (1930), S. 93

Hesse, Hermann: Besuch bei einem Dichter. In: Hesse, Gedenk-Blätter. Berlin 1950. S. 106

Junge, Hermann: Vor vierzig Jahren beim alten Raabe. Mitt. 38 (1951), S. 12

Hoppe, Karl: W. Raabe als Zeichner. Göttingen 1960

Glockner, Hermann: Griffelkünstler Proteus. Jb. 1962, S. 66

Hoppe, Karl: Raabes Universitätsstudium. In: Hoppe, S. 11

Fuchtel, Paul: Raabe und Wolfenbüttel. Mitt. 25 (1935), S. 34

Fehse, Wilhelm: W. Raabes Bildungsreise. In: Westermanns Monatshefte Jg. 70, 1925/26, Bd. 139, S. 543

Michel, Hermann: W. Raabe in Leipzig. In: Schriften des Vereins f. d. Gesch. Leipzigs 16 (1933), S. 78

Fricker, Karl: W. Raabes Stuttgarter Jahre im Spiegel seiner Dichtung. Stuttgart 1939

Hoppe, Else: W. Raabe und Marie Jensen. Jb. 1966, S. 25

Hoppe, Karl: Die Übersiedlung Raabes nach Braunschweig. In: Hoppe, S. 27

Brandes, Wilhelm: W. Raabe und die Kleiderseller. In: Raabe-Gedächtnisschr. 1912, S. 35

Schultz, Hans Martin: W. Raabe und der «Feuchte Pinsel». Mitt. 17 (1927), S. 178

6. Darstellungen

Andrews, John S.: W. Raabe's reception in England. In: Notes and queries for readers, collectors and librarians 203 (1957), S. 130 – Dt.: Mitt. 44 (1957), S. 97

Bänsch, Dorothea: Zur Sprache und Sprachentwicklung bei W. Raabe. Jb. 1960, S. 140

Beaucamp, Eduard: Literatur als Selbstdarstellung. W. Raabe und die Möglichkeiten eines deutschen Realismus. Bonn 1968

Boeschenstein, Hermann: Raabe. In: Boeschenstein, Deutsche Gefühlskultur. Bd. 2. Bern 1966. S. 211 (s. a. S. 170)

Brandes, Wilhelm: W. Raabe. 2. Aufl. Wolfenbüttel 1906
W. Raabe als Historikus. Mitt. 14 (1924), S. 89
Allerlei Raabequellen. In: Raabestudien 1925, S. 23

Brill, E. V. K.: Raabe's reception in England. In: German Life and Letters. New Ser. 8 (1955), S. 304 – Dt.: Mitt. 43 (1956), S. 10

Doernenburg, Emil: W. Raabe und die deutsche Romantik. In: German-American Annals 20 (1922), S. 176; 21 (1923), S. 3

Lawrence Sterne und W. Raabe. In: The Germanic Review 6 (1930/31), S. 154; Mitt. 29 (1939), S. 10; 58 [Mit Übersetzung der Sterne-Zitate]

Doernenburg, Emil, und Wilhelm Fehse: Raabe und Dickens. Magdeburg 1921

Elster, Hanns Martin: Raabe und Fontane. Ein Vergleich. In: Raabe-Kal. 1913, S. 182

Fairley, Barker: The Modernity of W. Raabe. In: German Studies presented to L. A. Willoughby. Oxford 1952. S. 66 – Dt.: Mitt. 42 (1955), S. 74

W. Raabe. An introduction to his novels. Oxford 1961 – Dt.: W. Raabe. Eine Deutung seiner Romane. (Übertr. v. H. Boeschenstein.) München 1961

Fehse, Wilhelm: Raabe und E. T. A. Hoffmann. In: Raabestudien 1925, S. 143

Selbstzitate und Motivwandelungen bei Raabe. Mitt. 9 (1919), S. 33

Raabe und Immermann. Mitt. 10 (1920), S. 9

W. Raabes Erwachen zum Dichter. Magdeburg 1921

In Raabes Werkstatt. In: Raabe-Gedenkbuch 1921, S. 70

Der zeitgeschichtliche Hintergrund zu W. Raabes Schaffen. Mitt. 13 (1923), S. 1, 25, 65

W. Raabes Ringen mit Schopenhauer. In: Neue Jahrbücher f. Wissenschaft u. Jugendbildung 2 (1926), S. 548

Görges' Vaterländische Geschichten und Denkwürdigkeiten als Raabe-Quelle. Mitt. 19 (1929), S. 158

Goethe und Raabe. Mitt. 22 (1932), S. 100

W. Raabe. Sein Leben und seine Werke. Braunschweig 1937

Fleischer, Heinrich: Über einige Motive in Raabes Werken. In: Wiss. Ztschr. d. Friedrich-Wilhelm-Univ. Jena. Gesellschafts- u. sprachwiss. Reihe 11 (1962), S. 115

Fliess, Selma: W. Raabe. Étude an quatre parties. Grenoble 1912

Frerking, Johann: Raabe und die Anderen. Mitt. 40 (1953), H. 2, S. 1

Friese, Hans: Horaz und W. Raabe. Mitt. 29 (1939), S. 112

W. Raabe und die Antike. Mitt. 32 (1942), S. 104

Goetz, Marketa: The short stories: a possible clue to W. Raabe. In: Germanic Review 37 (1962), S. 55

Goetz-Stankiewicz, Marketa: The Tailor and the Sweeper. A new look at W. Raabe. In: Essays on German Literature in Honour of G. J. Hallamore. Toronto 1968. S. 152

Grohmann, Wilhelm: Raabe-Probleme. Darmstadt 1926

Hahne, Franz: Raabe und Seneca. Mitt. 34 (1944), S. 18

Hajek, Siegfried: Der Mensch und die Welt im Werk W. Raabes. Warendorf 1950

Hanson, William P.: Some basic themes in Raabe. In: German Life and Letters 21 (1968), S. 122

Hebbel, Christa: Die Funktion der Erzähler- und Figurenperspektiven in W. Raabes Ich-Erzählungen. Diss. Heidelberg 1960 [Masch.]

Heess, Wilhelm: Raabe. Seine Zeit und seine Berufung. Berlin 1926

Heim, Karl: W. Raabe und das Publikum. Mitt. 42 (1955), S. 1

Helmers, Hermann: Das Groteske bei W. Raabe. In: Die Sammlung 15 (1960), S. 199

Die bildenden Mächte in den Romanen W. Raabes. Weinheim 1960

Über W. Raabes Sprache. Jb. 1962, S. 9

Die Verfremdung als epische Grundtendenz im Werk Raabes. Jb. 1963, S. 7

Die Figur des Erzählers bei Raabe. RinS, S. 317

W. Raabe. Stuttgart 1968 (Sammlung Metzler)

HOPPE, ELSE: Vom tödlichen Lachen im Werk W. Raabes. Jb. 1960, S. 21

Raabes eigener Weg zum Lachen. Jb. 1962, S. 47

HOPPE, KARL: Raabes Stellung in der Geschichte des deutschen Geistes. In: HOPPE, S. 141

Die stammestümlichen Grundlagen des Humors bei W. Raabe. In: Niedersächsischer Erzieher, Ausg. B, 3 (1935), S. 772

Niedersächsische Wesenszüge im Werk W. Raabes. Mitt. 29 (1939), S. 35

Die Lebensidee Raabes. In: HOPPE, S. 241

W. Raabe einst und heute. In: RinS, S. 173

HUTH, OTTO: Raabe und das Neue Testament. Jb. 1965, S. 103

JENSCH, FRITZ: W. Raabe und die Stoa. Mitt. 19 (1929), S. 1

JENSEN, WILHELM: W. Raabe. In: Westermanns Monatshefte, 4. Folge, Bd. 2, 1879, S. 106

JUNGE, HERMANN: W. Raabe. Studien über Form und Inhalt seiner Werke. Dortmund 1910

KIENTZ, LOUIS: W. Raabe, type et peintre de l'Allemand moyen. In: Revue germanique 20 (1929), S. 1

Raabe und Frankreich. Mitt. 21 (1931), S. 130

W. Raabe. L'homme, la pensée et l'œuvre. Paris 1939

KLEIN, JOHANNES: W. Raabe als Formkünstler in seinen Novellen. Mitt. 26 (1936), S. 48, 82

Raabe und Goethe. Mitt. 36 (1949), S. 1

W. RAABE. In: Klein, Geschichte der deutschen Novelle. 3. Aufl. Wiesbaden 1956. S. 328

Raabe und Stifter. Mitt. 44 (1957), S. 53

KLOPFENSTEIN, EDUARD: Erzähler und Leser bei W. Raabe. Bern 1969

KÖTTGEN, GERHARD: W. Raabes Ringen um die Aufgabe des Erziehungsromans. Berlin 1939

KRIEGER, HANS: Deutsche Dichter im Wandel des Urteils IX: W. Raabe. In: Der junge Buchhandel 18 (1965), S. 64

KRÜGER, ANNA: Der humoristische Roman mit gegensätzlich verschränkter Bauform. Jean Paul, W. Raabe, Kurt Kluge. Limburg 1952

LUGINBÜHL, EMIL: W. Raabe und die deutsche Geschichte. St. Gallen 1952

LUKÁCS, GEORG: Wilhelm Raabe. In: Lukács, Die Grablegung des alten Deutschland. Reinbek 1967 (rowohlts deutsche enzyklopädie. 276). S. 93

MAATJE, FRANK C.: Der Doppelroman. 2. Aufl. Groningen 1968

MARTINI, FRITZ: W. Raabe und das 19. Jahrhundert. In: Ztschr. f. dtsch. Philologie 58 (1933/34), S. 326

W. Raabe und das literarische Biedermeier. Mitt. 23 (1933), S. 33

Die Stadt in der Dichtung W. Raabes. Greifswald 1934 [Diss. Berlin]

Der Bauer in der Dichtung W. Raabes. Mitt. 24 (1934), S. 69

Bürgertum und Dichtung im 19. Jahrhundert. In: Ztschr. f. deutsche Bildung 11 (1935), S. 551

Das Formgesetz der Dichtung W. Raabes. Mitt. 25 (1935), S. 91

W. Raabes Geschichtsdichtung. In: Ztschr. f. Deutschkunde 49 (1935), S. 16

Das Problem des Realismus im 19. Jahrhundert und die Dichtung W. Raabes. In: Dichtung und Volkstum 36 (1935), S. 271

Wilhelm Raabe. In: Martini, Deutsche Literatur im bürgerlichen Realismus. Stuttgart 1962. S. 665

W. Raabe. In: Deutsche Dichter des 19. Jahrhunderts. Hg. von B. von Wiese. o. O., o. J. [1968]. S. 528

MAYER, GERHART: Die geistige Entwicklung W. Raabes. Göttingen 1960
Zum Wesen von Raabes humoristischer Sprachform. Jb. 1960, S. 77
Über Wilhelm Raabes Verhältnis zur Religion. In: Literaturwiss. Jahrb. d. Görres-Gesellschaft N. F. 8 (1967), S. 157

MEINERTS, HANS JÜRGEN: Die Landschaft in Raabes Dichtung. In: Junge Geisteswissenschaft 2 (1938), S. 60
Das Raabebild in der Forschung eines halben Jahrhunderts. In: Raabe-Jahrbuch 1950, S. 47

MEYER, HERMAN: Neue Synthese der Gestaltung im Werke W. Raabes. In: Meyer, Der Sonderling in der deutschen Dichtung. München 1963. S. 229
Raum und Zeit in W. Raabes Erzählkunst. In: RinS, S. 98

MEYNER, AGNES: Verfremdung im Werk W. Raabes. Mitt. 52 (1965), S. 33

MOLTMANN-WENDEL, ELISABETH: Sintflut und Arche. Biblische Motive bei W. Raabe. Wuppertal-Barmen 1967

MORSIER, ÉDOUARD DE: W. Raabe. In: Morsier, Romanciers allemands contemporains. Paris 1890. S. 313

MÜLLER, THEODOR: Die ostfälische Landschaft im Werk W. Raabes. Mitt. 41 (1954), S. 101

NAUMANN, HANS: Braunschweiger Festrede über W. Raabe. Mitt. 22 (1932), S. 1

NEWALD, RICHARD: Wilhelm Raabe. In: Schweizerische Rundschau 31 (1931), S. 650

OBERDIECK, WILHELM: W. Raabes Begegnung mit dem Absurden. Jb. 1968, S. 91

OHL, HUBERT: Bild und Wirklichkeit. Studien zur Romankunst Raabes und Fontanes. Heidelberg 1968

OPPERMANN, HANS: Raabe und Fontane. Mitt. 36 (1949), S. 59
Existentialismus und Humor (Raabe und Camus). Mitt. 41 (1954), S. 90
Raabes Ruhm. Mitt. 43 (1956), S. 37
Die Gestalt des Lehrers in Raabes Werk. Mitt. 44 (1957), S. 81
Zum Problem der Zeit bei W. Raabe. In: RinS, S. 294
W. Raabe im Verhältnis zum Christentum. In: Deutsches Pfarrerblatt 64 (1964), S. 498
Das Bild der Antike bei W. Raabe. Jb. 1966, S. 58
Mythische Elemente in Raabes Dichtung. Jb. 1968, S. 49

PASCAL, ROY: The Reminiscence-Technique in Raabe. In: The Modern Language Review 49 (1954), S. 339 – Dt. in: RinS, S. 130
Wilhelm Raabe. In: Pascal, The German Novel. Manchester 1956. S. 143

PERQUIN, N.: Wilhelm Raabes Motive als Ausdruck seiner Weltanschauung. Amsterdam–Paris 1928

PONGS, HERMANN: Zum aufschließenden Symbol bei W. Raabe. In: Jahrb. für Ästhetik und allgemeine Kunstwissenschaft 1951, S. 161
Wilhelm Raabe. Leben und Werk. Heidelberg 1958

PRAHM, ADOLF: Johannes Brahms und W. Raabe. Mitt. 42 (1955), S. 63

REUTER, HANS HEINRICH: «Der wendische Hund». In: Weimarer Beiträge 12 (1966), S. 573

RICHTER, HELMUT: Zwischen Zukunftsglauben und Resignation. Zum Frühwerk W. Raabes. In: Wiss. Ztschr. d. Univ. Leipzig. Gesellschafts- u. sprachwiss. Reihe 8 (1958/59), S. 397

ROLOFF, ERNST AUGUST: Geschichte und Dichtung im Werk W. Raabes. Mitt. 32 (1942), S. 81

RÖPKE, WERNER: Studien zur Entwicklung W. Raabes. Braunschweig 1938

SANDER, VOLKMAR: Illusionszerstörung und Wirklichkeitserfassung im Roman Raabes. In: Deutsche Romantheorien. Hg. von R. Grimm. Frankfurt a. M. 1968. S. 218

SCHLEGEL, WOLFGANG: Über W. Raabes Geschichtsbild. Jb. 1962, S. 22

SCHNEIDER, HILDE: W. Raabes Mittel der epischen Darstellung. Berlin 1936

SCHOMERUS, HANS: Über die Gestalt des Bösen in den Werken W. Raabes. Jb. 1962, S. 32

SCHREINERT, KURT: Theodor Fontane über W. Raabe. Jb. 1962, S. 182

SCHULTHEIS, JOHANNES: Das Gedankengut der Stoa im Werk Wilhelm Raabes. Diss. Hamburg [Masch.]

SEEWALD, HANS: Das Motiv der Heimkehr bei W. Raabe. Saarbrücken–Münster i. W. 1960

SEEBASS, ADOLF: Raabe und Shakespeare. In: Germanisch-romanische Monatsschrift 22 (1934), S. 1
Raabe und Schiller. In: Germanisch-romanische Monatsschrift 9 (1959), S. 20

SIEPER, KLARA: Der historische Roman und die historische Novelle bei Raabe und Fontane. Weimar 1930

SPIERO, HEINRICH: Raabe. Leben – Werk – Wirken. 2. Aufl. Wittenberg 1925

STOCKUM, TH. C. VAN: Schopenhauer und Raabe, Pessimismus und Humor. In: Neophilologus 6 (1921), S. 169

STRENGER, RUDOLF: Die Landschaft in den Romanen und Erzählungen W. Raabes. Mühlheim 1934

VOGELGESANG, GÜNTHER: Das Ich als Schicksal und Aufgabe in den Dichtungen Raabes. Braunschweig 1942

WALZEL, OSKAR: Raabe und Stifter. In: Walzel, Deutsche Dichtung von Gottsched bis zur Gegenwart. Bd. 2. Potsdam 1930. S. 148

WEINHARDT, REINHOLD: Schopenhauer in W. Raabes Werken. In: Jahrb. d. Schopenhauer-Ges. 25 (1938), S. 306

WENIGER, ERICH: W. Raabe und das bürgerliche Leben. In: Die Sammlung 6 (1951), S. 348, 376
W. Raabe und die Bildung. In: Die Sammlung 7 (1952), S. 521
«Erlebnis» und «Dichtung» im Werk W. Raabes. In: Die Sammlung 13 (1958), S. 613

WITSCHEL, GÜNTER: Raabe-Integrationen. Bonn 1969

ZIMMER, HERMANN: Wilhelm Raabes Verhältnis zu Goethe. 2. Aufl. Görlitz 1931

7. Zu einzelnen Werken

Abu Telfan:

JUNGE, HERMANN: Von Heimkehr, Gefangenschaft des Lebens und ihrer Überwindung. Mitt. 37 (1950), S. 7

OHL, Bild und Wirklichkeit, S. 65

Die Akten des Vogelsangs:

BÖNNEKEN, MARGARETE: W. Raabes Roman «Die Akten des Vogelsangs». 2. Aufl. Marburg 1926

MEINERTS, HANS JÜRGEN: Die «Akten des Vogelsangs». Raabestudien auf Grund einer Sprachuntersuchung. Berlin 1940

MÜLLER, JOACHIM: Das Zitat im epischen Gefüge. Die Goethe-Verse in Raabes Erzählung «Die Akten des Vogelsangs». In: RinS, S. 279

OHL, Bild und Wirklichkeit, S. 107

SCHOMERUS, HANS: Salas y Gomez und die Rote Schanze. Von der Einsamkeit des Menschen. Jb. 1968, S. 41

Altershausen:

MAATJE, F. C.: Ein früher Ansatz zur «stream of consciousness»-Dichtung: W. Raabes «Altershausen». In: Neophilologus 45 (1962), S. 305

MARTINI, FRITZ: W. Raabes «Altershausen». Jb. 1964, S. 78

MAYER, GERHART: Raabes Romanfragment «Altershausen». Grundzüge einer Interpretation. In: RinS, S. 211

MEYNER, AGNES: Altershausen. Mitt. 16 (1926), S. 57

OVERDIECK, WILHELM: Simultaneität und Ambivalenz in W. Raabes «Stopfkuchen» und «Altershausen». Diss. Tübingen 1957 [Masch.]

PASCAL, ROY: Warum ist «Altershausen» Fragment geblieben? Jb. 1962, S. 147

Aphorismen:

OPPERMANN, HANS: Unbekannter Aphorismus oder Zitat? Mitt. 53 (1966), S. 38

Die Chronik der Sperlingsgasse:

FAIRLEY, Wilhelm Raabe, S. 182 [S. 172 dtsch. Übers.]

KLEIN, JOHANNES: W. Raabes «Chronik der Sperlingsgasse». In: Raabe-Jahrbuch 1949, S. 7

Raabes «Chronik der Sperlingsgasse» in und jenseits ihrer Zeit. Mitt. 43 (1956), S. 46

MAATJE, Doppelroman, S. 37

OHL, Bild und Wirklichkeit, S. 92

RICHTER, HELMUT: «Die Chronik der Sperlingsgasse». In: RinS, S. 312

Der Junker von Denow:

FEHSE, WILHELM: Raabes Novelle «Der Junker von Denow». In: W. Raabe-Kal. 1913, S. 169

Eine Raabe-Quelle. Mitt. 4 (1914), S. 95

Der Dräumling:

MEINERTS, HANS JÜRGEN: Goethe im «Dräumling». Mitt. 36 (1949), S. 77

Im alten Eisen:

FAIRLEY, Wilhelm Raabe, S. 126 [118]

OPPERMANN, HANS: Raabes «Tasso». Betrachtungen zu Raabes «Im alten Eisen». In: Raabe-Jahrb. 1950, S. 74

Else von der Tanne:

ADLER, MAX: W. Raabes Else von der Tanne. Halle 1904

HOTZ, KARL: Raumgestaltung und Raumsymbolik in W. Raabes Erzählung «Else von der Tanne». Jb. 1968, S. 83

Eulenpfingsten:

BURCHARDT, HANNELORE: W. Raabes «Eulenpfingsten». Eine Sprachanalyse unter besonderer Berücksichtigung der Haltung des fiktiven Erzählers. Jb. 1968, S. 106

Fabian und Sebastian:

FONTANE, THEODOR: Wilhelm Raabe, Fabian und Sebastian. In: Fontane, Literarische Essays und Studien 1. München 1963 (Nymphenb. Ausg. XXI/1). S. 272

OPPERMANN, HANS: Das göttliche Kind. Jb. 1968, S. 52

Drei Federn:

FUCHTEL, PAUL: Die Stellung der «Drei Federn» im Schaffen W. Raabes. Mitt. 28 (1938), S. 1

OHL, Bild und Wirklichkeit, S. 101

Prinzessin Fisch:

FAIRLEY, Wilhelm Raabe, S. 19 [20]

HOPPE, KARL: Raabes Entwurf: Zu spät im Jahr. In: HOPPE, S. 155

MARTINI, FRITZ: W. Raabes «Prinzessin Fisch». Wirklichkeit und Dichtung im erzählenden Realismus des 19. Jahrhunderts. In: RinS, S. 145

NEUMANN, FRIEDRICH: Philologie und Psychologie in der Raabeforschung. Mitt. 40 (1953), S. 4

ROLOFF d. J., ERNST AUGUST: «Prinzessin Fisch» als entwicklungs-psychologisches Problem. In: Raabe-Jahrb. 1950, S. 87

SCHARRER, WALTER: W. Raabes literarische Symbolik, dargestellt an Prinzessin Fisch. München 1927

Die Gänse von Bützow:

BRANDES, WILHELM: Allerhand zu den «Gänsen von Bützow». In: Raabestudien 1925, S. 238

KLEIN, JOHANNES: Vorwegnahme moderner Formen in Raabes «Gänsen v. B.». In: RinS, S. 192

MICHELSEN, PETER: Der Rektor und die Revolution. Eine Interpretation der «Gänse v. B.». Jb. 1967, S. 51

SEEBASS, ADOLF: Der humoristische Stil in Raabes Erzählung «Die Gänse v. B.». Mitt. 20 (1930), S. 118

Unruhige Gäste:

FAIRLEY, Wilhelm Raabe, S. 143 [133]

FEHSE, WILHELM: Raabes Kampf um seinen Roman «Unruhige Gäste». Mitt. 28 (1938), S. 65

GRUENTER, RAINER: Ein Schritt vom Wege. Geistliche Lokalsymbolik in Wilhelm Raabes Unruhige Gäste. In: Euphorion 60 (1966), S. 209

HÖHLER, E.: W. Raabes Unruhige Gäste. Bonn 1969

MÜLLER, JOACHIM: Erzählstruktur und Symbolgefüge in Wilhelm Raabes «Unruhigen Gästen». 1. Die Erzählstruktur. Jb. 1962, S. 121 – 2. Das Symbolgefüge. Jb. 1963, S. 88

Hastenbeck:

FAIRLEY, Wilhelm Raabe, S. 72 [67]

HEISELER, INGRID VON: Die geschichtlichen Quellen und ihre Verwendung in Raabes Erzählung «Hastenbeck». Jb. 1967, S. 80

HOPPE, KARL: Hastenbeck und die Überwindung der Lebensangst. In: HOPPE, S. 222

MEYER, HERMAN: Wilhelm Raabes «Hastenbeck». In: Meyer, Das Zitat in der Erzählkunst. 2. Aufl. Stuttgart 1967. S. 186

SCHULTZ, WERNER: Barock, Rokoko und Goethezeit in «Hastenbeck». Jb. 1966, S. 80

Höxter und Corvey:

BUTZMANN, HANS: Zur Entstehung von Höxter und Corvey. Mitt. 35 (1948), S. 20

MARTINI, FRITZ: W. Raabes «Höxter u. Corvey». In: Der Deutschunterricht, H. 1 (1953), S. 76

OPPERMANN, HANS: Raabes Erzählung «Höxter u. Corvey». Mitt. 42 (1955), S. 46

Holunderblüte:

SPEYER, MARIE: Raabes «Hollunderblüte». Regensburg 1908

EMONTS, MARIA: Zur Technik der Psychologie in der Novelle. In: Germanisch-romanische Monatsschrift 12 (1920), S. 328

Horacker:

BUNJE, HANS: Konrektor Eckerbusch. Frau Eckerbusch. In: Bunje, Der Humor in der niederdeutschen Erzählung des Realismus. Neumünster 1953. S. 17, 26

FAIRLEY, Wilhelm Raabe, S. 91 [84]

MARTINI, FRITZ: Parodie und Regeneration der Idylle. Zu W. Raabes Horacker. In: Literatur und Geistesgeschichte. Festgabe für H. O. Burger. o. O. 1968. S. 232

Das Horn von Wanza:
FAIRLEY, Wilhelm Raabe, S. 54 [51]
OHL, Bild und Wirklichkeit, S. 105

Der Hungerpastor:
MAATJE, FRANK C.: Der Raum als konstituierendes Moment in W. Raabes «Hungerpastor». In: Levende Talen 211 (1961), S. 515
OHL, Bild und Wirklichkeit, S. 65

Die Innerste:
WIESE, BENNO VON: W. Raabe. Die Innerste. In: Wiese, Die deutsche Novelle von Goethe bis Kafka. Interpretationen II. Düsseldorf 1962, S. 198
WINKELMANN, ELEONORE: Die Quelle zu Raabes «Innerste». Mitt. 46 (1959), S. 30
WITSCHEL, Raabe-Integrationen, S. 4

Unseres Herrgotts Kanzlei:
FEHSE, WILHELM: Raabe-Studien. Magdeburg 1912
OPPERMANN, HANS: Zur Entstehung von «Unseres Herrgotts Kanzlei». Mitt. 43 (1956), S. 19

Die Kinder von Finkenrode:
ROLOFF, ERNST AUGUST: Zur Entstehungsgeschichte der Erzählung «Die Kinder von Finkenrode». Mitt. 38 (1951), S. 26

Des Reiches Krone:
KUNZ, JOSEF: Wilhelm Raabes Novelle «Des Reiches Krone». Versuch einer Interpretation. Jb. 1966, S. 7

Der Lar:
HOPPE, KARL: Der Lar. Eine Humoreske mit ethischem Anspruch. In: HOPPE, S. 185

Die Leute aus dem Walde:
OHL, Bild und Wirklichkeit, S. 44

Zum wilden Mann:
BUTZMANN, HANS: Musäus' Schatzgräber und Raabes Erzählung «Zum wilden Mann». Mitt. 36 (1949), S. 81
MÜLLER, THEODOR: Der zeitgeschichtliche Hintergrund der Raabeschen Erzählung «Zum wilden Mann». Mitt. 28 (1938), S. 76
NEUMANN, FRIEDRICH: W. Raabes Erzählung «Zum wilden Mann». Jb. 1960, S. 60

Pfisters Mühle:
FAIRLEY, Wilhelm Raabe, S. 37 [36]
THIENEMANN, AUGUST: W. Raabe und die Abwässerbiologie. Mitt. 15 (1925), S. 124

Alte Nester:
MAYER, GERHART: Über W. Raabes Humor, dargestellt an Just Everstein und Stopfkuchen. Mitt. 45 (1958), S. 67

Das Odfeld:
FAIRLEY, Wilhelm Raabe, S. 108 [101]
KILLY, WALTHER: Geschichte gegen die Geschichte. In: RinS, S. 229
LAMPRECHT, HELMUT: Studien zur epischen Zeitgestaltung in W. Raabes «Das Odfeld». Frankfurt a. M. 1958
OHL, Bild und Wirklichkeit, S. 118, 132
OPPERMANN, HANS: Der passive Held. Raabe: «Das Odfeld». Jb. 1967, S. 31
WENIGER, ERICH: Die Quellen zu Wilhelm Raabes «Odfeld». Jb. 1966, S. 96
WITSCHEL, Raabe-Integrationen, S. 14

Vom alten Proteus:
NEUMANN, FRIEDRICH: W. Raabes Erzählung «Vom alten Proteus». In: Ztschr. f. dtsch. Philologie 78 (1959), S. 140
Sankt Thomas:
STAMMLER, HEINRICH A.: Ironie und Pathos in Raabes Novelle «Sankt Thomas». Jb. 1962, S. 86
Der Schüdderump:
KLEIN, JOHANNES: Raabes «Schüdderump» in seiner und unserer Zeit. Jb. 1965, S. 65
    Raabes «Schüdderump». Jb. 1968, S. 7
NEUMANN, FRIEDRICH: W. Raabes Schüdderump. In: Ztschr. f. dtsch. Philologie 71 (1953), S. 291
OHL, Bild und Wirklichkeit, S. 65
STOCKUM, TH. C. VAN: W. Raabes Schüdderump. Komposition und Gehalt. Groningen–Den Haag 1930
Im Siegeskranze:
KUNZ, JOSEF: Die Novellenkunst Raabes. Dargestellt an seiner Novelle «Im Siegeskranze». Jb. 1964, S. 106
MEINERTS, HANS JÜRGEN: Raabes Erzählung «Im Siegeskranze». Mitt. 38 (1951), S. 22
NEUMANN, FRIEDRICH: Erlebte Geschichte in Raabes Erzählung «Im Siegeskranze». Jb. 1962, S. 108
PFEIFFER, JOHANN: Wilhelm Raabe. Im Siegeskranze. In: Pfeiffer, Wege zur Erzählkunst. Hamburg 1953. S. 39
Stopfkuchen:
AHRBECK, HANS: W. Raabes Stopfkuchen. Borna–Leipzig 1926
FAIRLEY, Wilhelm Raabe, S. 1 [3]
GUARDINI, ROMANO: Über W. Raabes «Stopfkuchen». In: RinS, S. 12
HOPPE, KARL: Die weltanschaulichen Grundzüge in Raabes «Stopfkuchen». In: HOPPE, S. 209
MAYER, G., s. u. *Alte Nester*
OHL, HUBERT: Eduards Heimkehr oder Le Vaillant und das Riesenfaultier. Zu W. Raabes «Stopfkuchen». In: RinS, S. 247
    Bild und Wirklichkeit, S. 126, 142
OVERDIECK, s. u. *Altershausen*
SCHOMERUS, s. u. *Die Akten des Vogelsangs*
WITSCHL, Raabe-Integrationen, S. 27
Der Student von Wittenberg:
FEHSE, WILHELM: Raabe-Studien. Magdeburg 1912
Wunnigel:
BUNJE, HANS: Rottmeister Brüggemann. Wunnigel. In: Bunje, Der Humor der niederdeutschen Erzählung des Realismus. Neumünster 1953. S. 17, 27

NAMENREGISTER

Die kursiv gesetzten Zahlen bezeichnen die Abbildungen

Abeken, Bernhard 86
Alexis, Willibald (Wilhelm Häring) 39, 55
Andersen, Hans Christian 27, 33
Auerbach, Berthold (Moses Baruch Auerbacher) 27

Bäbenroth 86
Balzac, Honoré de 27, 101
Beethoven, Ludwig van 61
Behrens, Gustav 79
Behrens, J. H. 18
Benn, Gottfried 101
Bennigsen, Rudolf von 53
Bismarck, Otto, Fürst von 62, 82, 100, 116
Bleibtreu, Karl 109
Blücher, Gebhard Leberecht, Fürst von Wahlstatt 92
Bohnsack 88
Brandes, Wilhelm 39, 44, 86, 87, 120, 130, 131, *86*
Bürger, Gottfried August 113

Campe, Joachim Heinrich 7
Claudius, Matthias 32, 33
Cober 120
Corneille, Pierre 109
Correggio (Antonio Allegri) 95

Dante Alighieri 59
Dickens, Charles 27, 54, 70
Diels, Hermann 100
Dilthey, Wilhelm 39, 42
Dumas père, Alexandre 27

Fechner, Hanns 118
Ferdinand, Herzog von Braunschweig 112, 113
Feuerbach, Ludwig 26
Fischer, Oskar 81
Fontane, Theodor 29, 105
Freiligrath, Ferdinand 27, 61
Freytag, Gustav 49
Freytag, Hans 93
Frick 86
Friedrich Wilhelm IV., König von Preußen 29

Garibaldi, Giuseppe 40
Gerstäcker, Friedrich 49
Geßner, Salomon 120
Glaser, Adolf 41 f, 68, 88, 97, 104, *43*
Goethe, Johann Wolfgang von 34, 40, 55, 56, 91, 95, 109
Goldsmith, Oliver 33
Gounod, Charles François 71
Guardini, Romano 132
Gutzkow, Karl 49

Hänselmann, Ludwig 81, 85 f, *81*
Hebbel, Friedrich 37
Heine, Heinrich 27, 65
Hesse, Hermann 127, *125*
Heyse, Paul von 62, 101, 105, 114, *102*
Höfer, Edmund 59
Hoffmann, Ernst Theodor Amadeus 27, 37
Homer 107
Horaz (Quintus Horatius Flaccus) 46 f, 95
Hotho, Heinrich Gustav 30

Jacques, Norbert 123
Janke, Otto 104
Jean Paul (Johann Paul Friedrich Richter) 33, 37, 91
Jeep, Auguste Johanne Friederike s. u. Auguste Johanne Friederike Raabe
Jeep, Christian 18, 21
Jeep, Justus 18
Jeep 7
Jensen, Marie 63 f, 78, 79 f, 116, *131, 66*
Jensen, Wilhelm 34, 63 f, 67 f, 70, 78, 79 f, 96, 97, 116, *65*

Kant, Immanuel 100
Karl I. der Große, Kaiser 16
Karl Wilhelm Ferdinand, Herzog von Braunschweig 10
Keller, Gottfried 26, 29, 34, 97 f
Kirchenpauer, Ulrich 87, *87*
Kober 49
Kokenius, Schulrat 15

Kretschmann 25, 28
Kretzer, Max 109
Kröner, Alfred 109
Krüger, Hermann Anders 130
Kunz, Josef 94
Kurz, Hermann 61

Lau, Thaddäus 7, 16, 17, 28
Leibniz, Gottfried Wilhelm Freiherr von 20
Leiste, Bertha Emilie Wilhelmine s. u. Bertha Emilie Wilhelmine Raabe
Leitzen 88
Lessing, Gotthold Ephraim 20, 42, 87
Liliencron, Detlev von (Friedrich Adolf Axel Freiherr von Liliencron) 123, 126
Logau, Friedrich Freiherr von 110
Lortzing, Albert 131
Lukács, Georg 134
Luther, Martin 91, 94

Mac-Mahon, Marie Edme Patrice Maurice Marquis de, Duc de Magenta 77
Mann, Thomas 100, 104, 119
Märcker 30
Martini, Fritz 96
Meinecke, Friedrich 100
Meyer, Herman 120
Michaelis, Professor 30
Michelet, Karl Ludwig 30
Molière (Jean-Baptiste Poquelin) 109
Moltke, Helmuth Graf von 25, 100
Mörike, Eduard 61
Müller, Alwine 11
Myron 95

Nietzsche, Friedrich 79
Notter, Friedrich 59, 63

Raabe, August 9 f, 15
Raabe, Auguste Johanne Friederike 7, 10 f, 14, 18, 39, 40, 44, 62, 68, 79, 13
Raabe, Bertha Emilie Wilhelmine 9, 16, 44, 48, 53, 58, 61, 62, 63, 68, 78, 81, 91, 122, 51, 124
Raabe, Elisabeth 25, 77, 79, 128
Raabe, Emilie 79, 129, 124
Raabe, Gertrud 79, 87, 116
Raabe, Gustav Karl Maximilian 7, 10, 13, 14, 16, 17, 18, 12
Raabe, Klara 79
Raabe, Margarete 62, 78, 79
Racine, Jean 109
Raffael (Raffaello Santi) 95
Richter, Helmut 134
Riehl, Wilhelm Heinrich von 55
Roon, Albrecht Graf von 100
Rousseau, Jean-Jacques 33
Rückert, Friedrich 27

Schiller, Friedrich 40, 91, 94
Schönhardt, Karl 59
Schubert, Franz 61
Schultes 80 f
Scott, Sir Walter 27, 55
Shakespeare, William 109
Sokrates 92
Stage, Franz 39
Stegmann, Heinrich 86
Steinweg, Theodor 53, 86 f, 87
Sterne, Laurence 27, 34
Storm, Theodor 61, 65
Stülpnagel, August 29, 39, 37
Sue, Eugène 27

Thackeray, William Makepeace 27
Thoma, Ludwig 54
Thukydides 21
Tizian (Tiziano Vecelli) 95

Uhland, Ludwig 59

Vergil (Publius Vergilius Maro) 95
Vischer, Friedrich Theodor 61

Wagner, Richard 17
Wasserfall, Paul 79, 80, 128
Weniger, Erich 92
Wittekind 16

Zweig, Stefan 101

QUELLENNACHWEIS DER ABBILDUNGEN

Annagret Ehninger-Raabe: 6, 15, 16, 32, 35, 41, 45, 51, 114/115, 117, 124, 129 / Aus: Hannoverland 5 (1911): 8 / Slg. Hans Oppermann, Hamburg: 11, 43 unten, 83, 87 unten, 119, 133 / Aus: Mitteilungen für die Gesellschaft der Freunde Wilhelm Raabes (Wolfenbüttel 1932): 12 / Aus: Wilhelm Fehse, Wilhelm Raabe, sein Leben und seine Werke (Braunschweig 1937): 13, 47 / Aus: Wilhelm Raabes Welt und Werk in Bildern. Hg. von Constantin Bauer (Wolfenbüttel 1931): 14, 17, 27, 38, 40, 50, 65, 66, 81, 85, 86, 122, 123, 130 / Aus: Wilhelm Raabe Kalender (Berlin 1912): 19, 69 / Aus: Die Lessingstadt Wolfenbüttel und ihre Dichter (Wolfenbüttel 1929): 21 / Städtisches Archiv, Braunschweig: 22, 33, 60, 63, 89 / Aus: Karl Hoppe, Wilhelm Raabe als Zeichner (Göttingen 1960): 23, 24, 36, 42, 57, 67, 75, 95 / Aus: F. W. Hoffmann, Geschichte der Stadt Magdeburg III: 26 / Aus: Erlebnis Berlin. 300 Jahre Berlin im Spiegel seiner Kunst. Hg. von Hans Ludwig. 3. Auflage. Berlin 1965: 30/31 / Foto: Stephan v. Wiese, Hamburg: 37 / G. Westermann Verlag, Braunschweig: 43 oben / Aus: Friedrich Thöne, Wolfenbüttel (München 1963): 52 / Aus: Karl Fricker, Wilhelm Raabes Stuttgarter Jahr im Spiegel seiner Dichtung (Stuttgart 1939): 58, 59 / Städtisches Museum, Braunschweig: 64, 87 oben, 90 / Städtische Bibliothek, Braunschweig: 73, 98 / Aus: Theodor Fontane, Stationen seines Werkes (Marbach a. N. 1969): 102 / Stadt Stuttgart: 121 / Foto Hesse, SWB: 125 / Kreisbildstelle, Bremerhaven: 126, 127

Wilhelm Raabe
STOPFKUCHEN

In dieser See- und Mordgeschichte werden
Welt- und Menschenfeindschaft im Glauben
an den Reichtum des menschlichen Herzens
aufs schönste überwunden. Mit diesem Buch,
das Raabe selbst sein bestes und subjektivstes
nannte und das bezeichnenderweise im gleichen Jahr erschien wie Hauptmanns «Einsa-
me Menschen» und Wedekinds «Frühlings
Erwachen», fand die Dichtung des bürgerlichen deutschen Realismus ihren Höhepunkt
und ihr Ende.

140. Tausend
rororo Taschenbuch Band 100